#홈스쿨링
#혼자 공부하기

똑똑한
하루 한자

똑똑한 하루 한자
시리즈 구성 예비초~4단계

우리 아이 한자 학습 첫걸음

8급

1단계 A, B, C

7급 II

2단계 A, B, C

7급

3단계 A, B, C

6급 II

4단계 A, B, C

4주 완성 스케줄표

★ 공부한 날짜를 써 봐!

1주

1일 8~17쪽	**2**일 18~23쪽	**3**일 24~29쪽	**4**일 30~35쪽	**5**일 36~41쪽
자연 한자	자연 한자	자연 한자	자연 한자	자연 한자
日 날 일	月 달 월	火 불 화	水 물 수	木 나무 목
월 일	월 일	월 일	월 일	월 일

특강
42~49쪽
월 일

힘을 내! 넌 최고야!

2주

5일 78~83쪽	**4**일 72~77쪽	**3**일 66~71쪽	**2**일 60~65쪽	**1**일 50~59쪽
자연 한자	자연 한자	자연 한자	자연 한자	자연 한자
白 흰 백	靑 푸를 청	山 메 산	土 흙 토	金 쇠 금/성 김
월 일	월 일	월 일	월 일	월 일

특강
84~91쪽
월 일

배운 내용은 꼭꼭 복습하기!

3주

1일 92~101쪽	**2**일 102~107쪽	**3**일 108~113쪽	**4**일 114~119쪽	**5**일 120~125쪽
가족 한자	가족 한자	가족 한자	가족 한자	가족 한자
父 아버지 부	母 어머니 모	兄 형 형	弟 아우 제	寸 마디 촌
월 일	월 일	월 일	월 일	월 일

특강
126~133쪽
월 일

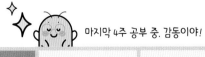
마지막 4주 공부 중. 감동이야!

4주

특강	**5**일 162~167쪽	**4**일 156~161쪽	**3**일 150~155쪽	**2**일 144~149쪽	**1**일 134~143쪽
168~175쪽	사람 한자	사람 한자	사람 한자	사람 한자	사람 한자
	先 먼저 선	人 사람 인	軍 군사 군	民 백성 민	王 임금 왕
월 일	월 일	월 일	월 일	월 일	월 일

Chunjae
Makes
Chunjae

▼

똑똑한 하루 한자 1단계 B

편집개발	장미영, 강혜정
디자인총괄	김희정
표지디자인	윤순미
내지디자인	박희춘, 조유정
삽화	박혜원, 이영호, 이혜승, 장현아, 정윤희, 홍선미
제작	황성진, 조규영
발행일	2021년 9월 15일 초판 2022년 11월 15일 3쇄
발행인	(주)천재교육
주소	서울시 금천구 가산로9길 54
신고번호	제2001-000018호
고객센터	1577-0902

똑 똑 한

하루
한자

1 단계
B
8급 기초2

구성과 활용 방법

한 주 미리보기

미리보기 활동

미리보기 만화

일일 학습

이야기를 읽으며
오늘 배울 한자를 만나요.

QR 코드 속 영상을 보며
한자를 따라 써요.

핵심 문제로 기초 실력을 키워요.

한 주 마무리

누구나 100점 TEST

문제를 풀며 한 주 동안
배운 내용을 확인해요.

특강

생각을 키워요

창의·융합·코딩 문제로
재미는 솔솔, 사고력은 쑥쑥!

부록

붙임 딱지와 한자 카드로
더욱 재미있게 공부해요!

8급 배정 한자 총 50자

教	校	九	國	軍
가르칠 교	학교 교	아홉 구	나라 국	군사 군
金	南	女	年	大
쇠금 / 성김	남녘 남	여자 녀	해 년	큰 대
東	六	萬	母	木
동녘 동	여섯 륙	일만 만	어머니 모	나무 목
門	民	白	父	北
문 문	백성 민	흰 백	아버지 부	북녘 북 / 달아날 배
四	山	三	生	西
넉 사	메 산	석 삼	날 생	서녘 서
先	小	水	室	十
먼저 선	작을 소	물 수	집 실	열 십
五	王	外	月	二
다섯 오	임금 왕	바깥 외	달 월	두 이
人	一	日	長	弟
사람 인	한 일	날 일	긴 장	아우 제
中	青	寸	七	土
가운데 중	푸를 청	마디 촌	일곱 칠	흙 토
八	學	韓	兄	火
여덟 팔	배울 학	한국 / 나라 한	형 형	불 화

함께 공부할 친구들

주 미리보기에서 만나요!

한자가 궁금해!
귀염둥이 아름

한자를 색칠해 봐!
마법 판다 팬돌이

본문에서 만나요!

명랑하고 호기심
많은 친구 하늘

똑똑하고 다정다감한
친구 바다

수업 시간

우리나라의 대표적인 명절에는 설날과 추석이 있어요. 여러분이 가장 좋아하는 명절은 무엇인가요?

나는 추석이 제일 좋아! 빨리 추석이 왔으면 좋겠다.

추석이 언제인지 달력에서 찾아봐야겠다!

추석은 무슨 요일일까?

9월

日	月	火	水	木	금	토
			1	2	3	4
5	6	7	8	9	10	11
12	13	14	15	16	17	18
19	20	21	22 추석	23	24	25
26	27	28	29	30		

이번 주에는 어떤 한자를 공부할까?

1일 日 날 일 **2일** 月 달 월 **3일** 火 불 화

4일 水 물 수 **5일** 木 나무 목

한자를 색칠해 봐!

水

와! 한글로 바뀌었다!

9월

일	월	화	수	목	금	토
			1	2	3	4
5	6	7	8	9	10	11
12	13	14	15	16	17	18
19	20	21	22 추석	23	24	25
26	27	28	29	30		

추석은 수요일이고, 추석 연휴는 화요일부터 목요일까지구나!

맞아! 아름아, 그런데 넌 왜 추석이 제일 좋아?

추석에는 내가 제일 좋아하는 송편을 먹을 수 있거든!

나도 송편을 좋아하는데! 송편을 생각하니 침이 고이네…….

1주

⭐ 이번 주에 배울 한자들이 그림 속에 숨어 있어요. 보기 를 참고해서 한자를 찾아보세요.

보기

日 날 일   月 달 월   火 불 화   水 물 수   木 나무 목

◗ 정답 2쪽

日 날 일

🔍 다음 글을 읽고, 오늘 배울 한자를 확인해 보세요.

오늘은 신나는 일(日)요일(日)!
우리 가족은 동물원에 가서 기린, 코끼리,
앵무새, 사자, 곰 등 재미있는 동물들을 구경했어요.
다음 주 일(日)요일(日)은 내 생일(日)이에요.
그날이 기다려집니다.

동물원

오늘 배울 한자

日

날 일

날 일

> 햇살이 퍼지는 모습을 본뜬 글자예요. 그래서 **해**를 뜻해요. 해가 떠 있는 동안이 하루이니까 **날**도 뜻하게 되었어요.

QR을 보며 따라 써요!

1주

🔍 연하게 쓰인 한자를 따라 써 본 후, 빈칸에 바르게 쓰세요.

日	日	日	日
날 일	날 일	날 일	날 일
날 일	날 일	날 일	날 일

1일

자연 한자

日 날 일

엄마, 제 생일(生日) 파티에 친구들을 초대했어요. 괜찮죠?

그럼.

귀여운 동생아, 내일(來日)이 언니 생일이야. 너도 축하해 줘.

응!

내일 가족들과 로봇 박람회에 가기로 했어. 기대돼.

내일 바다 생일 파티하기로 했잖아. 잊었어?

응?

우리 같이 선물도 샀잖아. 바다가 일기(日記) 쓰는 거 좋아 한다고 예쁜 일기장도 사놓고는.

앗, 이제 생각났다! 어쩌지?

'日 (날 일)'이 들어간 한자어를 알아봅시다.

 일 한글로 써 보아요.

 日 한자로 써 보아요.

생 ◯

태어난 날

生 ☐

날 **생**

내 ◯

오늘 뒤에 올 날

來 ☐

올 **래**

낱말의 맨 앞에 올 때는 '내'라고 읽어요.

◯ 기

겪은 일이나 느낌 등을 날마다 적음.

☐ 記

기록할 **기**

1일

자연 한자

日 날 일

1 다음 그림에 제시된 한자의 뜻과 음(소리)을 바르게 말한 사람을 찾아 ◯표 하세요.

🐰**아하! 이렇게 푸는구나!**

日은 해를 뜻하는 글자로, 해가 떠 있는 동안이 하루이므로 날도 뜻하게 되었어요.

2 ⬭에 알맞은 글자를 넣어 낱말을 만드세요.

태어난 날

⬇

생 ◯

오늘 뒤에 올 날

⬇

◯ 일

겪은 일이나 느낌 등을
날마다 적음.

⬇

◯ ◯

3 다음 밑줄 친 한자의 음(소리)을 쓰세요.

내 생日은 5월 10일입니다. → (　　　　　)

4 다음 한자의 뜻을 보기 에서 찾아 그 번호를 쓰세요.

보기
① 강　　　② 날　　　③ 달

• 日 → (　　　　　)

月 달 월

🔍 다음 글을 읽고, 오늘 배울 한자를 확인해 보세요.

추석은 음력 8월(月) 15일입니다.
추석날 밤에 보름달[月]이
환하게 떠올랐어요.
우리 가족은 보름달[月]을 보며
소원을 빌었어요.

오늘 배울 한자

月

달 월

달 월

초승달을 본뜬 글자예요. 그래서 달을 뜻
해요. 달이 차오르고 지는 동안이 한 달이니
까 한 달을 셀 때 쓰기도 해요.

QR을 보며 따라 써요.

1주

🔍 **연하게 쓰인 한자를 따라 써 본 후, 빈칸에 바르게 쓰세요.**

月	月	月	月
달 월	달 월	달 월	달 월
달 월	달 월	달 월	달 월

엄마, 지난 추석 때 먹은 송편이 지금도 생각나요.

우리 명절 음식이 참 맛있지.

설날인 정월(正月) 초하루, 음력 1월 1일에는 떡국을 먹고,

내가 좋아하는 떡국!

음력 1월 15일, 정월 대보름에는 오곡밥과 묵은 나물을 먹지.

아, 오늘 저녁에는 몸에 좋은 나물 비빔밥을 먹을까?

난 치킨을 먹고 싶어요. 어제부터, 아니 지난주부터 먹고 싶었는걸요. 오늘 치킨 먹게 해 달라고 일월(日月)에게 얼마나 빌었는데요!

에구, 못 말려! 그럼 나물 비빔밥에 치킨을 같이 먹을까?

와, 신난다!

치킨을 먹는 명절날이 매월(每月) 있으면 좋겠어요.

하하.

🔍 '月(달 월)'이 들어간 한자어를 알아봅시다.

월 한글로 써 보아요.

月 한자로 써 보아요.

정 ⬭

음력으로 한 해의 첫째 달

正

바를 **정**

일 ⬭

해와 달. 날과 달(세월)

日

날 **일**

매 ⬭

달마다

每

매양 **매**

2일
자연 한자

月 달 월

1 다음 한자의 뜻과 음(소리)으로 알맞은 것을 찾아 선으로 이으세요.

아하! 이렇게 푸는구나!

'달 월'은 초승달의 모양을 본뜬 글자예요.

기초 집중 연습

 **어휘 확인**

2 다음 뜻에 해당하는 낱말을 찾아 선으로 이으세요.

달마다	·
해와 달. 날과 달(세월)	·
음력으로 한 해의 첫째 달	·

·  일월

·  정월

·  매월

1주

급수 유형

3 다음 밑줄 친 한자의 음(소리)을 쓰세요.

여러분의 앞날이 일 **月** 같이 빛나기를 바랍니다. → (   )

급수 유형

4 다음 밑줄 친 말에 해당하는 한자를 **보기** 에서 찾아 그 번호를 쓰세요.

보기

① 日   ② 火   ③ 月

● 밤이 되면 하늘에 달과 별이 뜹니다. → (   )

火 불 화

🔍 다음 글을 읽고, 오늘 배울 한자를 확인해 보세요.

백두산, 한라산은 불[火]을 뿜는 화(火)산이 폭발하여 만들어진 산이에요.

공룡이 살던 시절에 화(火)산이 폭발하면 공룡들은 어떻게 대피했을까요?

오늘 배울 한자

火

불 화

불 화

[불길이 솟아오르는 모습을 본뜬 글자로,
불을 뜻해요.]

QR을 보며 따라 써요.

1주

🔍 **연하게 쓰인 한자를 따라 써 본 후, 빈칸에 바르게 쓰세요.**

火	火	火	火
불 화	불 화	불 화	불 화
불 화	불 화	불 화	불 화

'火(불 화)'가 들어간 한자어를 알아봅시다.

 한글로 써 보아요.

 한자로 써 보아요.

산

땅속의 가스나 용암이 터져 나와 만들어진 산

山

메 산

'메'는 '산'의
옛말이에요.

력

불이 탈 때 내는 열의 힘

力

힘 력

기

불의 뜨거운 기운

氣

기운 기

火 불 화

1 그림 속에 숨겨진 한자를 찾고, 한자의 뜻과 음(소리)으로 알맞은 것을 선으로 이으세요.

달 월

불 화

아하! 이렇게 푸는구나!

火와 月이 들어 있는 그림을 찾아보면 각 한자의 뜻을 알 수 있어요.

어휘 확인

2 다음에서 '불이 탈 때 내는 열의 힘'을 뜻하는 낱말을 ◯표 하세요.

화력   화산   화기

급수 유형

3 보기 와 같이 다음 한자의 뜻과 음(소리)을 쓰세요.

> 보기
>
> 月 ➡ 달 월

• 火 ➡ (   )

급수 유형

4 다음 밑줄 친 말에 해당하는 한자를 보기 에서 찾아 그 번호를 쓰세요.

> 보기
>
> ① 日   ② 火   ③ 月

• <u>불</u>장난을 하면 안 됩니다. ➡ (   )

水 물 수

🔍 다음 글을 읽고, 오늘 배울 한자를 확인해 보세요.

수(水)요일에는 친구들과 함께
수(水)영을 배워요.
"하나, 둘, 셋, 넷!"
수(水)영을 하기 전에는 구령에 맞춰
준비 운동을 해요.

오늘 배울 한자
水
물 수

물 수

[시냇물이 흐르는 모습을 본뜬 글자로, 물을 뜻해요.]

QR을 보며 따라 써요!

1주

🔍 **연하게 쓰인 한자를 따라 써 본 후, 빈칸에 바르게 쓰세요.**

水	水	水	水
물 수	물 수	물 수	물 수
물 수	물 수	물 수	물 수

4일

자연 한자

水 물 수

왜! 바다다!

여기서는 잠수함을 타고 수중(水中) 탐험을 할 수 있대. 그리고 수상(水上) 스포츠도 즐길 수 있어.

그럼 우리 잠수함부터 타자!

자, 출발이다!

수중에는 신기한 물고기들이 참 많구나.

어머, 예뻐라!

우
우
웅

수중에서 물고기들과 같이 수영하고 싶다.

이제 수상으로 올라가서 점심을 먹자.

아, 목말라. 생수(生水)부터 마시고 메뉴를 고민해 볼게.

꿀꺽
꿀꺽

얘들아, 점심으로 생선구이 어때?

좋아!

△△ 식당

너희들 너무해! 저렇게 예쁜 물고기를 어떻게…….

그럼 넌 다른 것을 먹도록 해.

오! 이거 정말 맛있는데?

냠
냠

???

🔍 '水(물 수)'가 들어간 한자어를 알아봅시다.

 한글로 써 보아요.

 한자로 써 보아요.

물속

가운데 중

물 위 흐르는 물의 상류

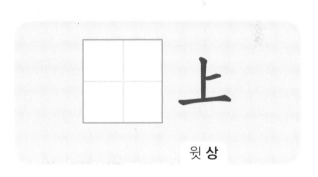
윗 상

깨끗한 물

날 생

4일 자연 한자 水 물 수

1 그림 속의 뜻과 음(소리)에 알맞은 한자를 보기 에서 찾아 그 번호를 쓰세요.

보기

① 水　　② 月　　③ 火

물 수
(　　　　　)

불 화
(　　　　　)

아하! 이렇게 푸는구나!

'물 수'는 시냇물이 흐르는 모습을 본뜬 글자예요.

어휘 확인

2 그림 속 내용이 맞으면 '예', 틀리면 '아니요'에 ◯표 하세요.

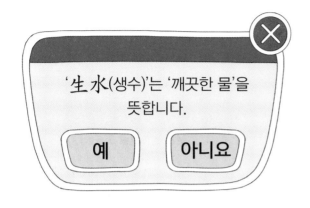

'生水(생수)'는 '깨끗한 물'을 뜻합니다.

예   아니요

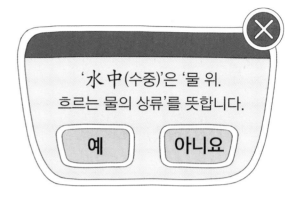

'水中(수중)'은 '물 위. 흐르는 물의 상류'를 뜻합니다.

예   아니요

급수 유형

3 다음 밑줄 친 한자의 음(소리)을 쓰세요.

목이 말라 시원한 생**水**를 마셨습니다.   → (   )

급수 유형

4 다음 뜻에 알맞은 한자를 보기 에서 찾아 그 번호를 쓰세요.

보기

① 水   ② 月   ③ 火

● 물 → (   )

木 나무 목

🔍 다음 글을 읽고, 오늘 배울 한자를 확인해 보세요.

오늘 배울 한자
木
나무 목

식목(木)일은
나무[木]를 심는 날이에요.
우리 가족은 산에 가서
나무[木]를 심었어요.
나무[木]가 무럭무럭 자라서
울창한 숲이 되었으면 좋겠어요.

나무 목

나무가 땅에 뿌리를 박고 가지를 뻗어나가
는 모습을 본뜬 글자로, **나무**를 뜻해요.

QR을 보며 따라 써요!

1
주

🔍 **연하게 쓰인 한자를 따라 써 본 후, 빈칸에 바르게 쓰세요.**

木	木	木	木
나무 목	나무 목	나무 목	나무 목
나무 목	나무 목	나무 목	나무 목

木 나무 목

이것 봐! 내가 목공(木工)으로 연필꽂이를 만들었어.

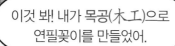

근사하다!

나는 커서 목수(木手)가 되고 싶어. 나무로 무엇이든 척척 만들어 내는 모습이 얼마나 멋지니?

대단한걸.

이번에 느낀 건데 나무는 우리한테 참 고마운 존재야. 이처럼 나무로 가구, 집 등 필요한 것을 만들 수 있고,

또 나무는 공기를 깨끗하게 해 줘. 그리고 주변 환경을 아름답게 만들어 주지.

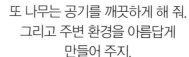

그래서 나는 식목일(植木日)에 가족들과 나무를 심었어.

좋아, 이제부터 나도 지구 환경 보호를 위해 나무를 심을 거야.

그래, 우리 모두가 노력하면 지구의 숲이 나무들로 우거질 거야.

짝

 '木(나무 목)'이 들어간 한자어를 알아봅시다.

목 한글로 써 보아요.

木 한자로 써 보아요.

나무를 다루어 물건을 만드는 일

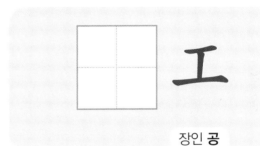

장인 **공**

나무를 다루어 집을 짓거나 가구 등을
만드는 일을 하는 사람

손 **수**

나무를 심는 날

심을 **식**   날 **일**

1 해적에게 붙잡힌 피터팬을 구하기 위해 그림 속에 숨겨진 한자를 찾아 ◯표 하세요.

🐰 **아하!** 이렇게 푸는구나!

각 한자가 뜻하는 그림을 찾아보세요(힌트: 나무, 물).

기초 집중 연습

2 다음 뜻에 해당하는 낱말을 찾아 ◯표 하세요.

나무를 다루어 물건을 만드는 일

목공　목수

나무를 심는 날

식목일　현충일

3 다음 음(소리)에 알맞은 한자를 보기 에서 찾아 그 번호를 쓰세요.

보기
① 木　　② 火　　③ 月

• 목 ➡ (　　　　　)

4 다음 한자의 뜻을 보기 에서 찾아 그 번호를 쓰세요.

보기
① 해　　② 나무　　③ 물

• 木 ➡ (　　　　　)

1 다음 ☐ 안에 들어갈 한자에 ○표 하세요.

정 ☐ 대보름은 음력 1월 15일입니다.

火 / 月

2 다음 그림이 나타내는 낱말을 찾아 선으로 이으세요.

· · 수상

· · 화산

3 다음 밑줄 친 낱말에 해당하는 한자어를 **보기** 에서 찾아 그 번호를 쓰세요.

보기

① 日記　　② 日月　　③ 生日

· 하나는 <u>일월</u>에게 소원을 빌었습니다. → (　　　　　)

4 다음 밑줄 친 한자의 음(소리)을 쓰세요.

잠수함을 타고 <u>水</u>중을 구경하였습니다.

→ (　　　　　)

5 다음 그림이 나타내는 한자를 찾아 선으로 이으세요.

· ·　木

· ·　水

6 다음 밑줄 친 한자의 음(소리)을 쓰세요.

오늘은 동생의 생<u>日</u>입니다.

→ (　　　　　)

7 다음 ☐ 안에 들어갈 한자에 ◯표 하세요.

☐력이 강해야 음식이 빨리 익습니다.

火　/　月

8 다음 밑줄 친 음(소리)에 해당하는 한자를 쓰세요.

식<u>목</u>일에는 나무를 심습니다.　→ (　　　　　)

창의·융합·코딩
생각을 키워요 ①

📖 국어+한문 다음 만화를 읽고, 성어의 뜻을 생각해 보세요.

作 心 三 日
지을 **작**　마음 **심**　석 **삼**　날 **일**

◆ 성어의 뜻을 살펴보며 빈칸에 알맞은 한자를 채우세요.

작	심	삼	일
作	心	三	

→ '단단히 먹은 마음이 3일을 가지 못한다.'는 뜻으로, 결심이 굳지 못함을 이르는 말

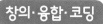 
📖 코딩+한문 명령어 를 사용하여 규칙 에 따라 한자어를 만들어 보세요.

붙임 딱지 185쪽

명령어

시작

위로 가기

아래로 가기

오른쪽으로 가기

완성

규칙

· '日'자만 이동시킬 수 있습니다.

· 항상 처음에는 시작 명령어를 사용해야 합니다.

· 항상 마지막에는 완성 명령어를 사용해야 합니다.

· 한자가 있는 곳이나 장애물이 있는 곳은 피해 가야 합니다.

· 가장 빠른 길을 찾도록 노력해 보세요.

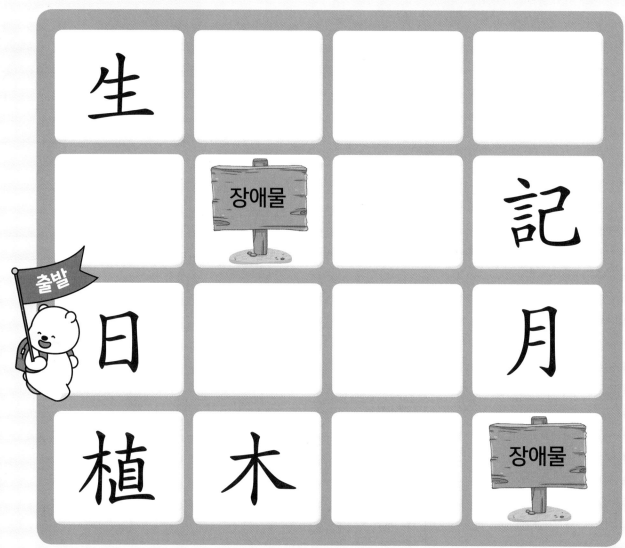

빈칸에
명령어 붙임 딱지를
붙여 완성하세요.

생일

예시

시작

위로 가기

완성

일월

시작

완성

1
주

일기

시작

완성

식목일

 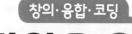

📖 과학+한문 다음 그림은 식물이 잘 자라기 위한 요소를 나타낸 것입니다. 그림을 보고, 물음에 답해 보세요.

1 다음 두 친구의 대화를 읽고, 하늘이가 기르는 식물에 필요한 것은 무엇인지 보기 에서 찾아 그 번호를 쓰세요. (   )

> 보기
> ① 水   ② 日   ③ 火

바다야, 내가 키우는 화분 있잖아. 식물이 잘 안 자라. 햇빛이 잘 드는 창가에 두었는데.

하늘아, 물은 잘 주고 있니?

물은 한 달에 한 번 주고 있어.

그 식물은 물을 일주일에 한 번씩은 주어야 해.

아, 그렇구나!

2 다음 글을 읽고, ☐ 에 들어갈 말과 관련된 한자를 보기 에서 찾아 그 번호를 쓰세요. (   )

> 보기
> ① 水   ② 日   ③ 月

식물이 비슷한 크기로 자란 화분 두 개가 있어요. 1번 화분은 햇빛이 잘 드는 곳에 두고, 2번 화분은 덮개를 씌워 햇빛을 막았어요. 10일 동안 두 화분에 물을 주고 비교해 보니 1번 화분의 식물이 더 잘 자랐어요. 이 실험을 통해 바다는 식물이 잘 자라려면 [   ]이/가 필요하다는 것을 알았어요.

2주에는 무엇을 공부할까? ①

1일 金 쇠금/성김　　**2**일 土 흙토　　**3**일 山 메산

4일 靑 푸를 청　　**5**일 白 흰 백

2주에는
무엇을 공부할까? ②

⭐ 이번 주에 배울 한자들이 그림 속에 숨어 있어요. 보기 를 참고해서 한자를 찾아보세요.

보기

金 쇠금/성김   土 흙토   山 메산   靑 푸를청   白 흰백

정답 7쪽

金 쇠 금 / 성 김

🔍 다음 글을 읽고, 오늘 배울 한자를 확인해 보세요.

금(金)요일에는 우리나라 김(金)으뜸 선수의 유도 결승전이 열렸어요.

김(金)으뜸 선수는 멋지게 상대방을 이기고 우승했어요.

반짝반짝 빛나는 금(金)메달을 목에 건

김(金) 선수의 모습을 보니 참 자랑스러웠어요.

오늘 배울 한자

金
쇠 금 / 성 김

쇠 금 / 성 김

> 쇳덩이를 녹이는 도구를 그린 글자로, 쇠, 금을 뜻해요. '김'이라고 읽어 이름의 성을 나타내기도 해요.

QR을 보며 따라 써요!

🔍 **연하게 쓰인 한자를 따라 써 본 후, 빈칸에 바르게 쓰세요.**

金	金	金	金
쇠 금 / 성 김	쇠 금 / 성 김	쇠 금 / 성 김	쇠 금 / 성 김
쇠 금 / 성 김	쇠 금 / 성 김	쇠 금 / 성 김	쇠 금 / 성 김

金 쇠 금 / 성 김

한자어를 익혀요

운동 경기에서 계속 금메달을 따면 그 선수는 부자가 되겠네. 부럽다.

댕댕아, 나도 부자가 되면 좋겠어. 사고 싶은 거 다 살 수 있고.

어, 여기가 어디지?

두리번

두리번

저기 금색(金色)으로 빛나는 것들은 뭐지?

와, 금이잖아?

번쩍

번쩍

황금도 있고, 백금(白金)도 있고…….

난 이제 부자야. 신난다!

앗, 꿈이었네. 아쉽다. 천금(千金)을 가질 수 있었는데.

벌떡

멍멍!

넌 무슨 꿈을 꾸고 있니?

이게 다 내 거라니! 천금이 부럽지 않아.

멍! 멍!

🔍 '金(쇠 금/성 김)'이 들어간 한자어를 알아봅시다.

 한글로 써 보아요.

 한자로 써 보아요.

황금처럼 광택이 나는 누런색

빛 **색**

하얀 금

흰 **백**

많은 돈이나 비싼 값, 아주 귀중한
것 등을 이르는 말

일천 **천**

金 쇠 금 / 성 김　　기초 실력을 키워요

1 나무꾼이 나무를 하다가 도끼를 물에 빠뜨렸더니 산신령님이 나타났어요. 나무꾼이 금도끼를 얻을 수 있게 금도끼를 찾아 ◯표 하세요.

이 금도끼가 네 도끼냐?

그 금도끼는 제 것이 아닙니다.

정직하구나. 다음 도끼 중에 금도끼를 찾으면 그것을 선물로 주겠다.

水도끼　　木도끼　　金도끼

🐰 **아하!** 이렇게 푸는구나!

쇳덩이를 녹이는 도구를 그린 글자를 찾아보세요.

기초 집중 **연습**

 어휘 확인

2 다음 뜻에 해당하는 낱말을 찾아 선으로 이으세요.

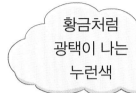 황금처럼
광택이 나는
누런색
•

 • 백금

 하얀 금
•

 • 천금

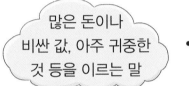 많은 돈이나
비싼 값, 아주 귀중한
것 등을 이르는 말
•

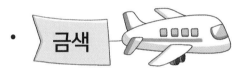 • 금색

 급수 유형

3 다음 밑줄 친 한자의 음(소리)을 쓰세요.

> 해가 뜨면서 하늘이 <u>金</u>색으로 물들었습니다.   ➡ (   )

 급수 유형

4 다음 한자의 뜻을 **보기** 에서 찾아 그 번호를 쓰세요.

> **보기**
>
> ① 흙   ② 쇠/성   ③ 나무

• 金 ➡ (   )

土 흙 토

🔍 다음 글을 읽고, 오늘 배울 한자를 확인해 보세요.

토(土)요일에 우리 가족은 텃밭에서 기른 고구마를 캐러 갔어요.

호미로 고구마 주변의 흙[土]을 살살 파냈더니

내 팔뚝만 한 고구마들이 나타났어요.

귀여운 동생은 하루 종일 흙[土]으로 재미있게 소꿉놀이를 했어요.

오늘 배울 한자

土
흙 토

흙 토

땅 위에 한 무더기의 흙이 쌓여 있는 모습을 나타낸 글자로, **흙**을 뜻해요.

QR을 보며 따라 써요!

🔍 연하게 쓰인 한자를 따라 써 본 후, 빈칸에 바르게 쓰세요.

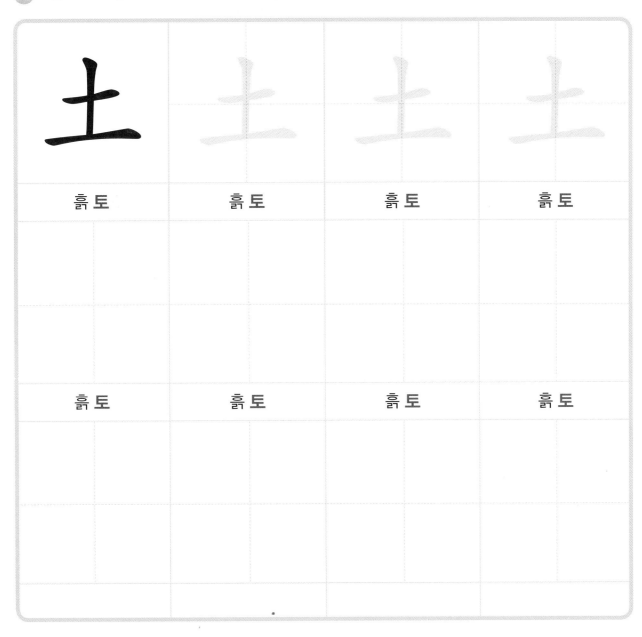

土	土	土	土
흙 토	흙 토	흙 토	흙 토
흙 토	흙 토	흙 토	흙 토

2주

土 흙 토

한자어를 익혀요

여러분은 커서 무엇이 되고 싶은가요?

저는 국토(國土)를 지키는 군인이 되고 싶습니다.

그래요! 초롱이는 씩씩하니 훌륭한 군인이 될 수 있을 거예요!

저는 농부가 되고 싶어요. 텃밭에서 채소를 기르는데, 정말 재미있어요. 농작물을 심고 정성껏 가꾸어 수확할 때 뿌듯함을 느껴요.

대단하군요! 농사를 지으려면 토지(土地)에 대한 애정도 있어야 해요. 알겠죠?

네, 선생님!

저는 도자기를 만드는 장인이 되고 싶어요. 전 국토를 돌아다니며 백토(白土)를 모아 멋진 도자기를 만들 거예요.

어, 너 지난번에는 목수가 되고 싶다고 하지 않았니?

헤헤, 꿈은 매번 바뀌는 거니까.

하하!

🔍 '土(흙 토)'가 들어간 한자어를 알아봅시다.

 한글로 써 보아요.

 한자로 써 보아요.

국◯

나라의 땅

國

나라 **국**

◯지

땅이나 흙 등을 이르는 말

地

땅 **지**

백◯

희고 고운 흙

白

흰 **백**

2주

2일 자연 한자 土 흙 토

1 다음 그림이 나타내는 한자를 찾아 선으로 이으세요.

金　木　火　土

🐰**아하!** 이렇게 푸는구나!

'흙'을 나타내는 한자, '쇠'를 나타내는 한자를 찾아보세요.

기초 집중 연습

😊 어휘 확인

2 다음 뜻에 해당하는 낱말을 찾아 ◯표 하세요.

나라의 땅

토지　국토

희고 고운 흙

백토　흑토

🐰 급수 유형

3 다음 밑줄 친 말에 해당하는 한자를 **보기** 에서 찾아 그 번호를 쓰세요.

> **보기**
>
> ① 土　　② 金　　③ 木

● <u>흙</u> 속에 씨앗을 심었습니다. → (　　　　　　)

🐰 급수 유형

4 **보기** 와 같이 다음 한자의 뜻과 음(소리)을 쓰세요.

> **보기**
>
> 木 → 나무 목

● 土 → (　　　　　　)

山 메 산

🔍 다음 글을 읽고, 오늘 배울 한자를 확인해 보세요.

산(山)에는 토끼도 살고, 다람쥐도 살고,
고슴도치도 살고, 뻐꾸기도 삽니다.
동물 친구들과 인사를 하며
산(山)에 오르다 보니 어느새
산(山)꼭대기에 도착했어요.
"야호!"하고 외치니 "야호!"하고
메아리가 울려 퍼집니다.

오늘 배울 한자

山

메 산

메 산

[산봉우리가 뾰족뾰족하게 이어진 모습을 본뜬 글자로, 산을 뜻해요.]

'메'는 '산'의 옛말이에요.

QR을 보며 따라 써요.

🔍 **연하게 쓰인 한자를 따라 써 본 후, 빈칸에 바르게 쓰세요.**

山	山	山	山
메 산	메 산	메 산	메 산
메 산	메 산	메 산	메 산

2
주

3일 山 메 산

자연 한자

 '山(메 산)'이 들어간 한자어를 알아봅시다.

산 한글로 써 보아요.

山 한자로 써 보아요.

등 ◯

산에 오름.

登

오를 등

◯ 수

산과 물. 경치

水

물 수

하 ◯

산에서 내려옴.

下

아래 하

3일 **자연 한자**

山 메 산

1 그림 속의 ☐에 공통으로 들어갈 한자를 찾아 ◯표 하세요.

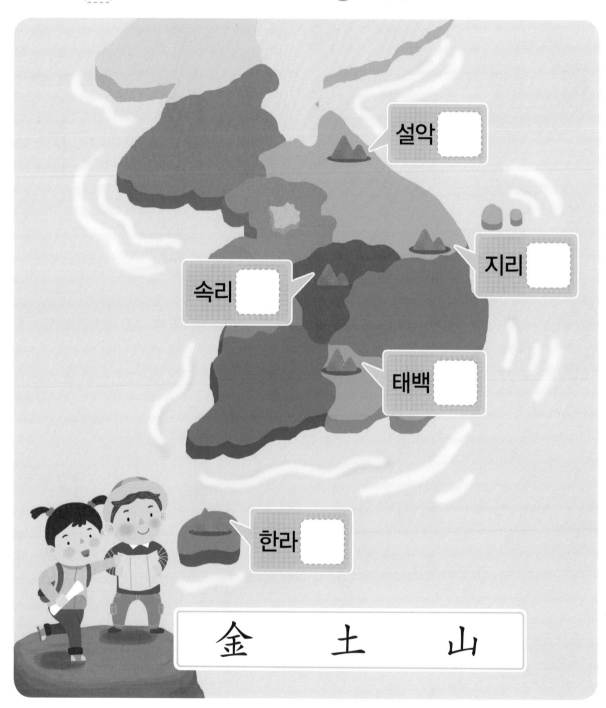

설악 ☐

지리 ☐

속리 ☐

태백 ☐

한라 ☐

| 金 | 土 | 山 |

🐰**아하!** 이렇게 푸는구나!

제시된 그림은 우리나라의 유명한 '산'을 나타내고 있어요.

어휘 확인

2 다음 뜻에 해당하는 낱말을 찾아 선으로 이으세요.

산에 오름. •

산에서 내려옴. •

• 등산

• 하산

급수 유형

3 다음 밑줄 친 음(소리)에 해당하는 한자를 **보기**에서 찾아 그 번호를 쓰세요.

보기

① 木   ② 金   ③ 山

● 매주 등산을 하면 몸이 건강해집니다. → (   )

급수 유형

4 **보기**와 같이 다음 한자의 뜻과 음(소리)을 쓰세요.

보기

土 ➡ 흙 토

● 山 ➡ (   )

靑 푸를 청

🔍 다음 글을 읽고, 오늘 배울 한자를 확인해 보세요.

오늘은 우리 학교 체육대회 날입니다.

우리 팀은 청(靑)군입니다.

청(靑)군, 백군 이어달리기가 시작되었어요.

"청(靑)군 이겨라! 청(靑)군 이겨라!"

우리 모두 목이 터져라 열심히 응원합니다.

운동장에 파란[靑] 깃발, 하얀 깃발이 나부낍니다.

오늘 배울 한자

靑

푸를 청

푸를 청

[우물과 초목처럼 맑고 푸름을 나타내는
글자로, **푸르다**를 뜻해요.]

QR을 보며 따라 써요!

🔍 **연하게 쓰인 한자를 따라 써 본 후, 빈칸에 바르게 쓰세요.**

靑	靑	靑	靑
푸를 청	푸를 청	푸를 청	푸를 청
푸를 청	푸를 청	푸를 청	푸를 청

2
주

자, 다음은 가족들이 참가하는 이어달리기 경기입니다.

와아

와

○○초등학교
체육대회

좋아, 나같이 젊은 청년(靑年)이 나서야 할 때야.

와, 삼촌 파이팅!

앗!

삼촌, 괜찮아요?

삐끗

이런……. 다리를 삐끗해서 달릴 수가 없겠는걸.

정말 기대했는데, 청천(靑天)에 날벼락이네.

좋아. 내가 나가지! 비록 나이는 많이 먹었지만, 몸과 마음은 아직 청춘(靑春)이라고!!

할아버지, 괜찮으시겠어요?

얍!

할아버지 대단해요!

파바 바박

🔍 '靑(푸를 청)'이 들어간 한자어를 알아봅시다.

청 한글로 써 보아요.

청 년

나이가 20대 정도인 남자

靑 한자로 써 보아요.

年

해 년

천

푸른 하늘

天

하늘 천

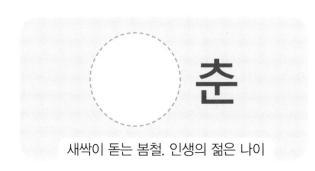

춘

새싹이 돋는 봄철. 인생의 젊은 나이

春

봄 춘

4일

자연 한자

靑 푸를 청

1 공굴리기 경기에서 우승한 팀은 어느 팀인지 보기 에서 찾아 그 번호를 쓰세요.

보기

① 土   ② 靑   ③ 金

이번 경기는 (   )군의 승리입니다!

아하! 이렇게 푸는구나!

청군과 백군 중 청군이 먼저 결승선에 도착했습니다.

기초 집중 연습

어휘 확인

2 그림 속 내용이 맞으면 '예', 틀리면 '아니요'에 ◯표 하세요.

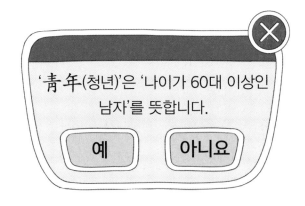

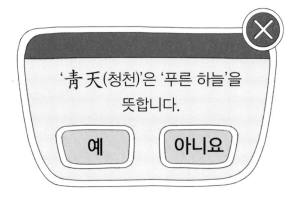

급수 유형

3 다음 밑줄 친 한자의 음(소리)을 쓰세요.

靑춘을 헛되이 보내지 말아야 합니다. → (   )

급수 유형

4 다음 한자의 뜻을 보기 에서 찾아 그 번호를 쓰세요.

> **보기**
> ① 붉다   ② 희다   ③ 푸르다

• 靑 → (   )

자연 한자

白 흰 백

🔍 다음 글을 읽고, 오늘 배울 한자를 확인해 보세요.

밤새 눈이 많이 내렸어요.

아침에 일어나자마자 설레는 마음으로 창밖을 보았어요.

눈으로 뒤덮여 백(白)색이 된 세상이 반짝반짝 빛나고 있었어요.

하얀[白] 세상을 간직하고 싶은 마음에 사진도 찍고,

하얀[白] 눈으로 눈사람도 만들었어요.

오늘 배울 한자

白

흰 백

흰 백

[촛불의 심지 모양을 본뜬 글자로, 촛불을 켜면 밝기 때문에 **밝다**, **희다**라는 뜻이 되었어요.]

QR을 보며 따라 써요!

🔍 **연하게 쓰인 한자를 따라 써 본 후, 빈칸에 바르게 쓰세요.**

白	白	白	白
흰 백	흰 백	흰 백	흰 백
흰 백	흰 백	흰 백	흰 백

2주

아빠! 밖에 눈이 많이 왔어요. 사진도 찍었어요.

그럼 찍은 사진을 인화해 볼까?

이건 흑백(黑白)으로 뽑아 봤어.

와, 흑백 사진은 분위기가 달라 보여요.

척

그동안 찍은 사진들이 많이 있네. 이건 지난 운동회 때 찍은 거구나. 그때 백군(白軍)이 이겼는데…….

아빠도 기억나는구나. 백군이 이겼다며 청군이었던 네가 슬퍼서 울던 모습! 하하.

이렇게 소중한 추억들을 사진으로 남겨 놓으니 좋구나. 우리 같이 사진 정리할까?

네!

앨범

사진첩 공백(空白)에 네가 넣고 싶은 사진을 붙이렴.

두리번 두리번

네! 아까 그 흑백 사진이 어디 갔지?

댕댕이, 너!

찌익

🔍 '白(흰 백)'이 들어간 한자어를 알아봅시다.

 한글로 써 보아요.

 한자로 써 보아요.

검은색과 흰색

검을 흑

색깔을 써서 편을 가를 때 흰색 쪽의 편

군사 군

종이나 책 등에서 글씨나 그림이 없는 빈 곳

빌 공

1 다음 그림에서 백군과 청군은 각각 어느 팀인지 ☐에 알맞은 한자를 쓰세요.

백군 바구니에는 공이 10개 들어 있고, 청군 바구니에는 공이 7개 들어 있습니다. 이번 경기는 백군의 승리입니다!

☐ 군   ☐ 군

아하! 이렇게 푸는구나!

'흰 백'은 촛불의 심지 모양을 본뜬 글자예요.

기초 집중 **연습**

😊어휘 확인

2 ◯에 알맞은 글자를 넣어 낱말을 만드세요.

검은색과 흰색

⬇

흑◯

색깔을 써서 편을 가를 때
흰색 쪽의 편

⬇

◯◯

종이나 책 등에서 글씨나
그림이 없는 빈 곳

⬇

공◯

🐰급수 유형

3 다음 밑줄 친 말에 해당하는 한자를 보기 에서 찾아 그 번호를 쓰세요.

보기
① 白   ② 土   ③ 靑

● <u>흰</u> 종이에 그림을 그렸습니다. ➜ (   )

🐰급수 유형

4 다음 한자의 음(소리)를 보기 에서 찾아 그 번호를 쓰세요.

보기
① 금   ② 백   ③ 청

● 白 ➜ (   )

1 다음 한자의 뜻과 음(소리)으로 알맞은 것을 찾아 선으로 이으세요.

(1) 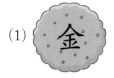 · · 흙 · · 토

(2)  · · 쇠/성 · · 금/김

2 다음 그림이 나타내는 한자를 찾아 선으로 이으세요.

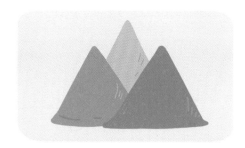 · · 水

· 山

3 다음 ☐ 안에 들어갈 한자에 ◯표 하세요.

주말마다 ☐년들이 모여 봉사 활동을 합니다.

靑 / 金

4 다음 밑줄 친 말에 해당하는 한자를 보기 에서 찾아 그 번호를 쓰세요.

보기
①土　　②白　　③靑

• <u>흰</u> 눈이 펄펄 내립니다. → (　　　　)

5 다음 밑줄 친 한자의 음(소리)을 쓰세요.

가족의 건강은 천**金**보다 귀합니다.

→ (   )

6 다음 뜻에 알맞은 한자를 **보기** 에서 찾아 그 번호를 쓰세요.

보기

① 靑   ② 白   ③ 金

● 푸르다   → (   )

7 다음 그림이 나타내는 한자어를 찾아 선으로 이으세요.

· 白土

· 靑土

8 낱말판에서 **설명** 에 해당하는 낱말을 찾아 ⭕표 하세요.

수	영	백
금	등	토
하	산	수

설명

산에 오름.

📖 국어+한문 다음 만화를 읽고, 성어의 뜻을 생각해 보세요.

青 山 流 水

푸를 청　메 산　흐를 류　물 수

여러분, 학교에서 안전하게 생활하려면…….

네~

마지막으로 교실, 복도에서 뛰면 안 됩니다. 알겠죠?

쿨…

학교 안전

하늘아! 선생님이 방금 뭐라고 했지?

헉!

화들짝

네? 아, 그러니까…….

안전…….

'流(류)'는
여기서는 '유'라고
읽어요.

◆ 성어의 뜻을 살펴보며 빈칸에 알맞은 한자를 채우세요.

청	산	유	수
		流	水

→ '푸른 산에 흐르는 물'이라는 뜻으로, 말을 막힘없이 잘하는 것을 이르는 말

2주 특강 생각을 키워요 ❷

창의·융합·코딩

📖 코딩+한문 가족들과 놀러 온 하늘이는 주변 풍경을 그리고 있습니다. 명령어 에 따라 오른쪽 그림을 완성하세요.

붙임 딱지 185쪽

명령어

1. 시작하기

2. '日'을 나타내는 그림 붙임 딱지를 붙이세요.

3. '木'을 나타내는 그림 붙임 딱지를 붙이세요.

4. '山'을 나타내는 그림 붙임 딱지를 붙이세요.

5. 물을 '靑'색으로 색칠하세요.

6. '土'를 나타내는 그림 붙임 딱지를 붙이세요.

7. 종료하기

📖 수학+한문 바다는 매일 해야 하는 일들을 달력에 꼼꼼히 적는답니다. 바다의 달력을 보고, 다음 물음에 답해 보세요.

3月

日	月					
1	2	3	4	5	6	7
8	9	10	11	12	13 편지 쓰기	14
15	16	17 숙제 검사	18	19	20	21
22	23	24	25	26	27	28 한자 시험
29	30	31				

◑ 정답 11쪽

1 달력의 ⬚에 알맞은 요일 붙임 딱지를 붙이세요.

붙임 딱지 185쪽

2 다음 두 친구의 대화에서 ⬚에 알맞은 한자를 쓰세요.

바다야, 이번 달 편지 쓰기 해야 하는 날이 언제지?

아, 그건 둘째 주 ⬚요일이야.

셋째 주 ⬚요일에는 뭐가 있었지?

숙제 검사를 하는 날이지.

한자 시험은 언제 보는 거지?

한자 시험은 넷째 주 ⬚요일에 있어.

3 다음 학생이 내는 퀴즈의 정답으로 알맞은 수를 쓰세요.

첫째 주
日요일 날짜와
土요일 날짜를
더하면?

답 ～～～～～～～～

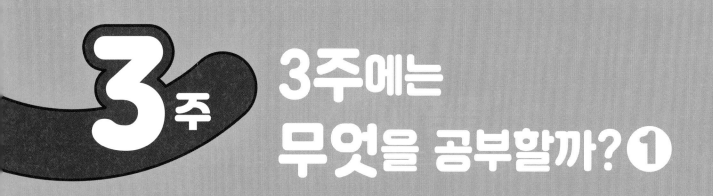

3주

3주에는 무엇을 공부할까? ①

우리 가족은
나, 아빠, 엄마……

아름아,
뭐 하니?

가족을 소개하는
글을 쓰고 있었어.

그럼 네가 쓴 글을 잠깐
보여 줄 수 있니?

가족을 소개하는
글이라면
나도 자신 있는데!

우리 가족을 소개합니다

우리 가족은 父母님과 兄, 그리고 저, 이렇게 네 식구입니다. 가까운 친척인 삼寸도 우리 집에 자주 놀러 오시고…….

이번 주에는 어떤 한자를 공부할까?

1일 父 아버지 부 **2**일 母 어머니 모 **3**일 兄 형 형

4일 弟 아우 제 **5**일 寸 마디 촌

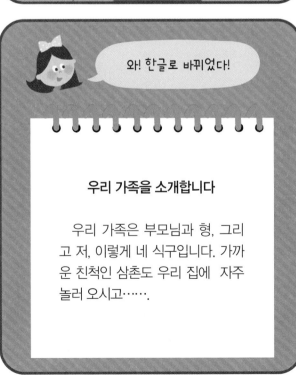

3주에는 무엇을 공부할까? ❷

✿ 이번 주에 배울 한자들이 그림 속에 숨어 있어요. 보기 를 참고해서 한자를 찾아보세요.

보기

父 아버지 부   母 어머니 모   兄 형 형   弟 아우 제   寸 마디 촌

● 정답 12쪽

3
주

가족 한자

父 아버지 부

다음 글을 읽고, 오늘 배울 한자를 확인해 보세요.

오늘은 아빠[父]와 배드민턴을 했어요.

그리고 아빠[父]가 저녁 식사를 준비해 주셨어요.

우리 아빠[父]는 맛있는 음식도 만들어 주시고

잘 놀아 주시는 멋진 분이에요.

배드민턴을 한 후 먹은 밥맛은 꿀맛이었어요.

오늘 배울 한자

父

아버지 부

아버지 부

손에 막대기를 든 모습을 나타낸 글자로,
아버지를 뜻해요.

QR을 보며 따라 써요!

🔍 **연하게 쓰인 한자를 따라 써 본 후, 빈칸에 바르게 쓰세요.**

父	父	父	父
아버지 부	아버지 부	아버지 부	아버지 부
아버지 부	아버지 부	아버지 부	아버지 부

3주

1일 父 아버지 부

가족 한자

한자어를 익혀요

오랜만에 같이 운동하러 나오니까 좋아요.

텅

아빠! 배드민턴이 너무 어려워요.

그래? 아빠가 가르쳐 줄게.

부자(父子)가 참 보기 좋네요. 아들들이 부모(父母)님 중에 누굴 더 닮았어요?

저는 아빠를 더 닮았어요.

저도 아빠를 닮았다고 해요.

하하. 아이들이 제 운동 실력을 닮지는 못했어요.

자, 던진다.

휙

아이쿠. 잘못 던졌네. 다시 던져 주마.

하하. 부자간(父子間)에 서로 닮긴 했네요.

부웅

툭

🔍 '父(아버지 부)'가 들어간 한자어를 알아봅시다.

 한글로 써 보아요.

 한자로 써 보아요.

아버지와 아들

아들 **자**

아버지와 어머니

어머니 **모**

아버지와 아들 사이

아들 **자**　　사이 **간**

3주

父 아버지 부

1 곰과 돼지가 생쥐를 찾고 있어요. '아버지 부'가 쓰인 길을 따라가 생쥐를 찾아보세요.

🐰**아하!** 이렇게 푸는구나!

'아버지 부'는 손에 막대기를 든 모양을 본뜬 글자예요.

기초 집중 연습

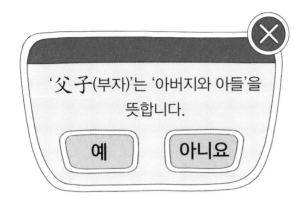

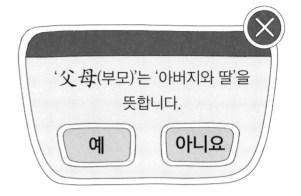

🐻 **어휘 확인**

2 그림 속 내용이 맞으면 '예', 틀리면 '아니요'에 ◯표 하세요.

🐰 **급수 유형**

3 다음 밑줄 친 음(소리)에 해당하는 한자를 보기 에서 찾아 그 번호를 쓰세요.

보기

① 金　　② 靑　　③ 父

• <u>부</u>모님께 세배를 올렸습니다. → (　　　　　)

🐰 **급수 유형**

4 다음 한자의 뜻을 보기 에서 찾아 그 번호를 쓰세요.

보기

① 메　　② 아버지　　③ 희다

• 父 → (　　　　　)

母 어머니 모

🔍 다음 글을 읽고, 오늘 배울 한자를 확인해 보세요.

어버이날이 되었어요.

동생과 나는 어머니[母]와 아버지께

카네이션을 달아 드렸어요.

어머니[母]와 아버지께서 무척 기뻐하셨어요.

뿌듯하고 행복한 하루였어요.

오늘 배울 한자

母

어머니 모

어머니 모

> 아이에게 젖을 먹이는 여자를 본뜬 글자
> 로, **어머니**를 뜻해요.

QR을 보며 따라 써요.

🔍 **연하게 쓰인 한자를 따라 써 본 후, 빈칸에 바르게 쓰세요.**

母	母	母	母
어머니 모	어머니 모	어머니 모	어머니 모
어머니 모	어머니 모	어머니 모	어머니 모

3주

🔍 '母(어머니 모)'가 들어간 한자어를 알아봅시다.

 한글로 써 보아요.

 한자로 써 보아요.

생 ◯

자기를 낳은 어머니

生 ☐

날 생

◯ 국

자기가 태어난 나라

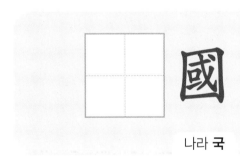

☐ 國

나라 국

◯ 자

어머니와 아들

☐ 子

아들 자

3
주

母 어머니 모

1 다음 가족사진을 보고, 뜻과 음(소리)에 해당하는 한자를 보기 에서 찾아 그 번호를 쓰세요.

보기

① 父   ② 山   ③ 母

어머니 모
(   )

아버지 부
(   )

🐰**아하!** 이렇게 푸는구나!

'아버지 부'는 '손에 막대기를 든 모양'을 나타낸 글자예요. '어머니 모'는 '여인이 무릎을 꿇고 앉아 아이에게 젖을 먹이는 모습'을 나타낸 글자예요.

기초 집중 **연습**

2 다음에서 '자기를 낳은 어머니'를 뜻하는 낱말을 찾아 ◯표 하세요.

| 생모 | 모국 | 모자 |

3 다음 밑줄 친 한자어의 음(소리)을 쓰세요.

자식을 향한 <u>父母</u>의 사랑은 끝이 없습니다.　→　(　　　　　)

4 다음 뜻에 알맞은 한자를 보기 에서 찾아 그 번호를 쓰세요.

보기
①父　　②母　　③靑

• 어머니 → (　　　　　)

兄 형 형

🔍 다음 글을 읽고, 오늘 배울 한자를 확인해 보세요.

형(兄)과 함께 놀이터에서 놀았어요.

미끄럼틀도 타고 술래잡기도 했어요.

우리 형(兄)은 나보다 키도 크고 힘도 세고 똑똑해요.

나도 이다음에 형(兄)처럼 멋지게 자랄 거예요.

오늘 배울 한자

兄

형 형

형 형

입을 벌리고 있는 사람을 본뜬 글자로, 동생을 타이르고 지도하는 사람이라는 데서 형이라는 뜻을 나타내요.

QR을 보며 따라 써요!

🔍 **연하게 쓰인 한자를 따라 써 본 후, 빈칸에 바르게 쓰세요.**

兄	兄	兄	兄
형 형	형 형	형 형	형 형
형 형	형 형	형 형	형 형

3
주

兄 형 형

한자어를 익혀요

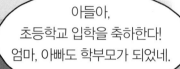
아들아,
초등학교 입학을 축하한다!
엄마, 아빠도 학부모가 되었네.

초등학생이 되니까
형제(兄弟) 중에 맏형으로서
책임감이 생겨요.

쓰담   쓰담

어머, 벌써부터
의젓한 모습이 보여서
자랑스럽구나.

동생아.
형으로서 앞으로 더
잘 챙겨 줄게.

형제간(兄弟間)에
사랑이 넘쳐서 보기 좋네.
우리 장남 훌륭하다.

참, 입학 기념으로
같이 식사하려고 언니와
형부(兄夫)를 초대했어요.

오늘도 맛있는
식사를 하겠군요.
좋아요!

'兄(형 형)'이 들어간 한자어를 알아봅시다.

 **형** 한글로 써 보아요.

 **兄** 한자로 써 보아요.

제

형과 아우

弟

아우 **제**

제 간

형과 아우 사이

弟 間

아우 **제**　사이 **간**

부

언니의 남편

夫

지아비 **부**

3일

가족 한자

兄 형 형

1 다음은 아기 돼지 삼형제 이야기의 마지막 장면입니다. 빈칸에 알맞은 한자를 보기 에서 찾아 그 번호를 쓰세요.

보기
① 父   ② 母   ③ 兄

아기 돼지 삼◻제 중 가장 튼튼한 집을 지은 것은 막내였어요. 늑대가 굴뚝으로 들어왔지만 난로에 불을 지펴 늑대를 쫓아냈어요.

→ (   )

아하! 이렇게 푸는구나!

'형제'는 '형과 아우'를 뜻하는 말이에요. '형 형'은 사람 모습 위에 크게 입을 벌린 모양을 본뜬 글자예요.

기초 집중 **연습**

2 어휘 확인

낱말판에서 **설명** 에 해당하는 낱말을 찾아 ◯표 하세요.

형	제	만
부	백	토
모	산	청

설명

형과 아우

3 급수 유형

다음 한자의 뜻을 **보기** 에서 찾아 그 번호를 쓰세요.

보기

① 어머니   ② 아버지   ③ 형

• 兄 ➡ (   )

4 급수 유형

다음 밑줄 친 음(소리)에 해당하는 한자를 **보기** 에서 찾아 그 번호를 쓰세요.

보기

① 兄   ② 父   ③ 白

• 형제간에 우애 있게 지내야 합니다. ➡ (   )

弟 아우 제

🔍 다음 글을 읽고, 오늘 배울 한자를 확인해 보세요.

내일은 스승의 날이에요.

선생님께 무엇을 해 드릴지 학급 회의를 했어요.

우리 반은 선생님께 '스승의 은혜' 노래를 불러 드리기로 했어요.

선생님께서 제(弟)자들의 노래를 들으시고

감동을 받으실 상상을 하니 마음이 설렜어요.

스승의 날

오늘 배울 한자

弟

아우 제

아우 제

[말뚝에 줄을 순서대로 감은 모습을 본뜬 글자예요. 후에 형제간의 순서라는 의미에서 **아우**를 뜻하게 되었어요.]

QR을 보며 따라 써요!

🔍 **연하게 쓰인 한자를 따라 써 본 후, 빈칸에 바르게 쓰세요.**

弟	弟	弟	弟
아우 제	아우 제	아우 제	아우 제
아우 제	아우 제	아우 제	아우 제

3 주

'弟(아우 제)'가 들어간 한자어를 알아봅시다.

 한글로 써 보아요.

 한자로 써 보아요.

스승으로부터 가르침을 받는 사람

아들 **자**

스승과 제자

스승 **사**

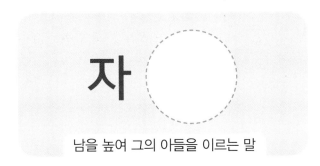

남을 높여 그의 아들을 이르는 말

아들 **자**

弟 아우 제

1 동생에게 선물할 물건을 고르고 있어요. 물건 중에 '아우 제'가 적혀 있는 것을 찾아 ○표 하세요.

🐰**아하!** 이렇게 푸는구나!

'아우 제'는 말뚝에 줄을 감은 모습을 본뜬 모양의 글자예요.

기초 집중 연습

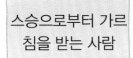

2 다음 뜻에 해당하는 낱말을 찾아 선으로 이으세요.

스승으로부터 가르 침을 받는 사람	•		•	제자
스승과 제자	•		•	자제
남을 높여 그의 아들을 이르는 말	•		•	사제

급수 유형

3 다음 한자의 음(소리)을 보기 에서 찾아 그 번호를 쓰세요.

보기

① 제　　　② 부　　　③ 형

• 弟 ➡ (　　　　　　)

급수 유형

4 다음 뜻에 알맞은 한자를 보기 에서 찾아 그 번호를 쓰세요.

보기

① 母　　　② 兄　　　③ 弟

• 아우 ➡ (　　　　　　)

5일
가족 한자

寸 마디 촌

🔍 다음 글을 읽고, 오늘 배울 한자를 확인해 보세요.

우리 삼촌(寸)은 태권도 선수예요.
삼촌(寸)이 격파 시범을 할 때나
멋진 발차기를 보여 줄 때는
사람들이 환호성과 박수를 보내요.
나도 삼촌(寸)에게 태권도를 배워 보고 싶어요.

오늘 배울 한자

寸

마디 촌

마디 촌

손의 모양을 본뜬 글자로, 손목에서 맥박이 뛰는 곳까지가 손가락 한 마디라는 데서 **마디** 를 뜻하게 되었어요.

QR을 보며 따라 써요!

🔍 **연하게 쓰인 한자를 따라 써 본 후, 빈칸에 바르게 쓰세요.**

寸	寸	寸	寸
마디 촌	마디 촌	마디 촌	마디 촌
마디 촌	마디 촌	마디 촌	마디 촌

3주

5일

寸 마디 촌

가족 한자

한자어를 익혀요

어제 태권도 경기 봤니? 우리나라 선수가 우승했어.

나도 사촌(四寸) 누나랑 봤어.

발차기를 하는 모습이 정말 멋있었어.

사실 그 선수가 우리 삼촌(三寸)이야.

삼촌? 사촌과 비슷한 말이네?

둘 다 가족을 부르는 말 중의 하나이구나!

삼촌은 가족의 촌수(寸數)를 나타내는 말이야. 가족 사이의 멀고 가까운 정도를 알 수 있지.

맞아. 역시 똑똑한걸?

하하. 난 어제 너희 삼촌 경기를 보면서 나도 태권도를 배워 보고 싶다고 생각했어.

그럼 우리 같이 태권도를 배워 보는 건 어때?

좋아!

얍!

122 • 똑똑한 하루 한자

🔍 '寸(마디 촌)'이 들어간 한자어를 알아봅시다.

아버지 형제자매의 아들딸

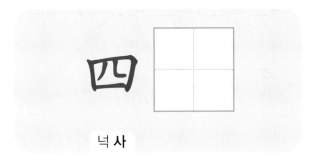

넉 **사**

아버지이 남자 형제

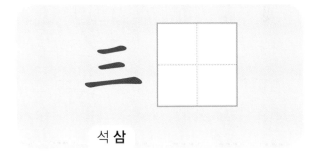

석 **삼**

친족 사이의 멀고 가까운 정도를 나타내는 수

셈 **수**

寸 마디 촌

기초 실력을 키워요

1 다음 그림에서 '마디 촌' 자를 찾아 노란색으로 색칠하여 어떤 그림이 나타나는지 확인해 보세요.

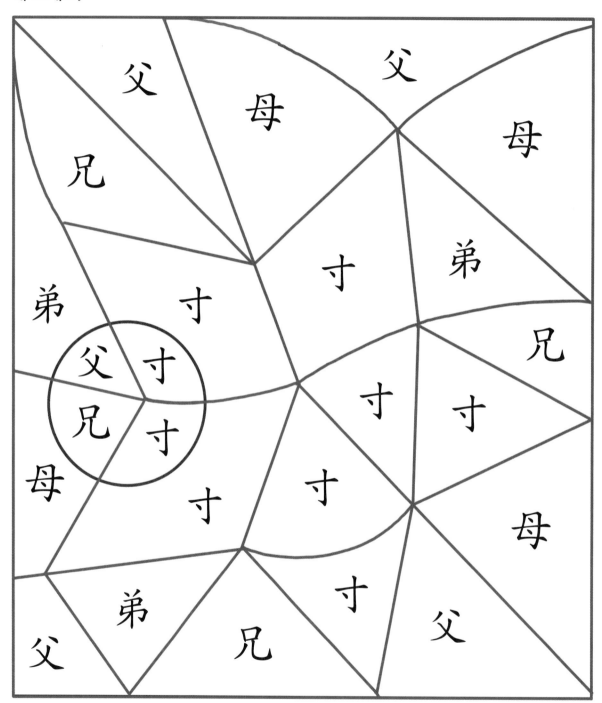

🐰 **아하!** 이렇게 푸는구나

'마디 촌'은 손목에서 맥박이 뛰는 곳까지가 손가락 한 마디라는 데서 '마디'라는 뜻이 생겼어요.

기초 집중 연습

😊 **어휘 확인**

2 다음에서 '마디 촌(寸)'이 들어 있는 낱말을 두 개 찾아 ◯표 하세요.

어촌   사촌   삼촌

🐰 **급수 유형**

3 다음 뜻에 알맞은 한자를 보기 에서 찾아 그 번호를 쓰세요.

보기
　　　　　① 父　　　② 母　　　③ 寸

● 마디 → (　　　　　　)

🐰 **급수 유형**

4 다음 밑줄 친 한자어의 음(소리)을 쓰세요.

 동생과 함께 물놀이를 했습니다.　　→ (　　　　　　)

1 다음 ☐ 안에 들어갈 한자에 ◯표 하세요.

카네이션을 ☐모님께 달아 드렸습니다.

父 / 母

2 다음에서 '아버지'를 뜻하는 한자를 찾아 색칠하세요.

兄　　父　　母

3 다음 한자의 뜻을 보기 에서 찾아 그 번호를 쓰세요.

보기
① 어머니　　② 아버지　　③ 아우

• 母 → (　　　　　)

4 다음 밑줄 친 한자의 음(소리)을 쓰세요.

우리는 부母님의 보살핌 속에서 자랍니다. → (　　　　　)

5 다음 그림이 나타내는 한자를 선으로 이으세요.

·

· 兄

· 母

6 다음 한자의 음(소리)을 보기 에서 찾아 그 번호를 쓰세요.

보기
① 제   ② 부   ③ 형

· 兄 → (   )

7 다음 밑줄 친 한자의 뜻을 보기 에서 찾아 그 번호를 쓰세요.

보기
① 아우   ② 어머니   ③ 형

· 라이트 형<u>弟</u>는 세계 최초로 비행기를 발명하였습니다. → (   )

8 다음 한자의 뜻을 보기 에서 찾아 그 번호를 쓰세요.

보기
① 마디   ② 어머니   ③ 아버지

· 寸 → (   )

📖 국어+한문 다음 만화를 읽고, 성어의 뜻을 생각해 보세요.

父傳子傳

아버지 **부**　　전할 **전**　　아들 **자**　　전할 **전**

◆ 성어의 뜻을 살펴보며 빈칸에 알맞은 한자를 채우세요.

→ '아버지가 아들에게 대대로 전한다.'라는 뜻으로 자식이 부모를 닮음을 이르는 말

📖 코딩+한문 명령어 를 사용하여 한자어를 만들려고 합니다. 잘못된 명령어를 찾아 바르게 고치세요.

명령어

 위로 가기

 오른쪽으로 가기

 왼쪽으로 가기

 아래로 가기

규칙

· 제시된 한자어의 첫 번째 글자를 이동시켜 한자어를 완성해 보세요.

· 한 번에 한 칸씩 이동할 수 있습니다.

· 글자가 있는 칸으로는 이동할 수 없습니다.

· 잘못된 명령어는 문제당 1개씩 있습니다. 한자어가 완성될 수 있도록 잘못된 명령어를 바르게 고쳐 보세요.

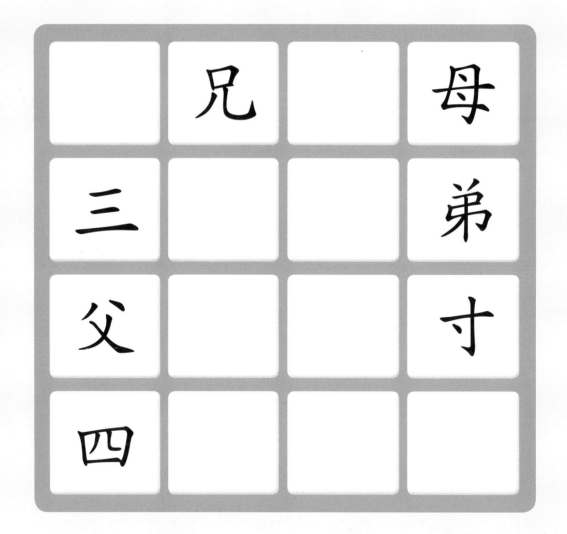

정답 16쪽

예시

한자어	명령어
사촌(四寸)	시작 ➡ ⬆ ✖ 끝 ➡

문제 1

한자어	명령어
부모(父母)	시작 ➡ ➡ ⬆ ⬆ 끝

문제 2

한자어	명령어
형제(兄弟)	시작 ➡ ⬆ 끝

문제 3

한자어	명령어
삼촌(三寸)	시작 ➡ ➡ ⬆ 끝

생각을 키워요 ③

📖 수학+한문 소영이네 가족의 촌수를 나타낸 그림입니다. 다음 그림을 보고, 물음에 답해 보세요.

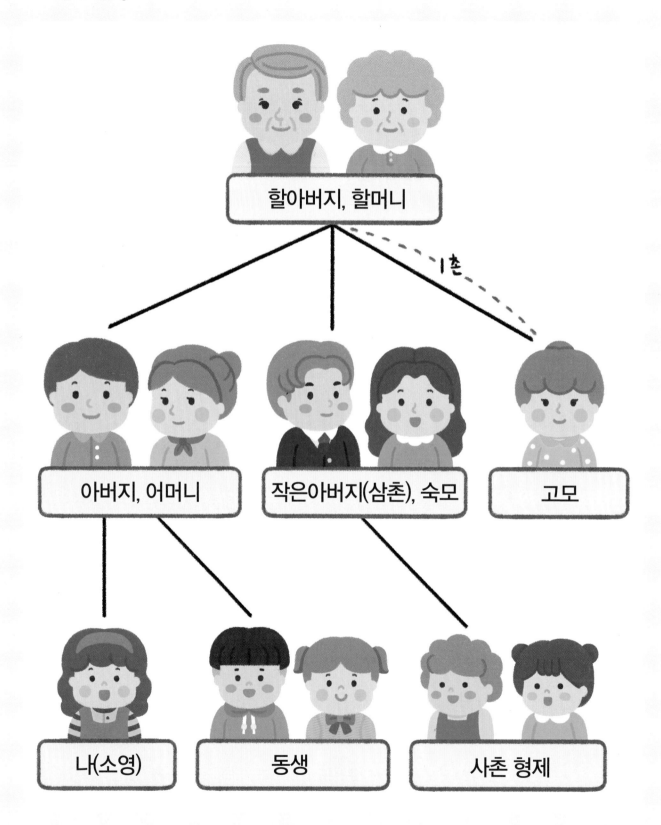

1 다음 대화에서 밑줄 친 한자어의 음(소리)을 쓰세요.

'寸數'가 무엇을 뜻하는 말이었지?

친척과 가깝고 먼 정도를 숫자로 나타낸 것이었어.

그림에서 寸數는 어떻게 알 수 있어?

가족들 사이에 그려진 선 한 마디가 1촌이야.

그럼 소영이랑 작은아버지와는 몇 촌이지?

소영이와 할아버지, 할머니의 寸數인 2촌에 할아버지, 할머니와 작은아버지의 寸數인 1촌을 더하면 3촌이야.

아하, 그렇구나!

 답 ～～～～～～～～～

2 다음 학생이 내는 퀴즈의 정답을 쓰세요.

'나'와 '작은아버지의 자녀'와의 촌수를 계산하면?

 답 ～～～～～～～～～

이번 주에 배울 한자들이 그림 속에 숨어 있어요. **보기**를 참고해서 한자를 찾아보세요.

보기

王 임금 왕　　民 백성 민　　軍 군사 군　　人 사람 인　　先 먼저 선

● 정답 17쪽

王 임금 왕

🔍 다음 글을 읽고, 오늘 배울 한자를 확인해 보세요.

내가 가장 존경하는 인물은 세종 대왕(王)이에요.

세종 대왕(王)은 글을 모르는 백성들을 위해 훈민정음을 만들었어요.

나도 세종 대왕처럼 훌륭한 왕(王)이 되면 어떨까 하는 상상을 해 보았어요.

오늘 배울 한자

王

임금 왕

임금 왕

커다란 도끼의 모습을 본뜬 글자예요. 도끼가 왕의 힘을 의미한다는 데서 **왕**을 뜻하게 되었어요.

QR을 보며 따라 써요!

🔍 **연하게 쓰인 한자를 따라 써 본 후, 빈칸에 바르게 쓰세요.**

王	王	王	王
임금 왕	임금 왕	임금 왕	임금 왕
임금 왕	임금 왕	임금 왕	임금 왕

4주

王 임금 왕

한자어를 익혀요

'王(임금 왕)'이 들어간 한자어를 알아봅시다.

왕 한글로 써 보아요.

王 한자로 써 보아요.

○실
임금의 집안

室
집 실

○자
임금의 아들

子
아들 자

국○
나라의 임금

國
나라 국

4주

王 임금 왕

1 보기 에 제시된 한자의 뜻을 바르게 말한 토끼에 ◯표 하세요.

보기

王 ➔ (   ) 왕

아우

어머니

임금

아하! 이렇게 푸는구나!

'王'은 커다란 도끼 모양을 본뜬 글자예요.

☺어휘 확인

2 다음에서 '왕자'의 뜻을 바르게 말한 학생에 ◯표 하세요.

임금의 집안

임금의 아들

나라의 임금

급수 유형

3 다음 뜻에 알맞은 한자를 보기 에서 찾아 그 번호를 쓰세요.

보기

① 母   ② 兄   ③ 王

• 임금 ➜ (   )

급수 유형

4 다음 한자의 음(소리)을 보기 에서 찾아 그 번호를 쓰세요.

보기

① 왕   ② 형   ③ 부

• 王 ➜ (   )

民 백성 민

사람 한자

🔍 다음 글을 읽고, 오늘 배울 한자를 확인해 보세요.

친구들과 민(民)속 마을에서 민(民)속놀이 체험을 했어요.
민(民)속놀이는 옛날부터 전해 내려오는
우리나라의 전통 놀이를 말해요.
민(民)속놀이에는 제기차기, 윷놀이,
투호 등이 있어요.
친구들과 함께 시간 가는 줄 모르고
재미있게 민(民)속놀이를 했어요.

오늘 배울 한자

民
백성 민

백성 민

초목의 싹이 많이 나 있는 모습을 본뜬 글자예요. 풀싹이 바람에 눕듯 임금을 따르는 사람이라는 데서 **백성**을 뜻해요.

QR을 보며 따라 써요!

🔍 **연하게 쓰인 한자를 따라 써 본 후, 빈칸에 바르게 쓰세요.**

民	民	民	民
백성 민	백성 민	백성 민	백성 민
백성 민	백성 민	백성 민	백성 민

4주

🔍 '民(백성 민)'이 들어간 한자어를 알아봅시다.

 한글로 써 보아요.

 한자로 써 보아요.

벼슬이 없는 일반인

평평할 **평**

일반 백성들이 사는 집

집 **가**

국가를 구성하는 사람

나라 **국**

1 '백성'을 뜻하는 한자로 알맞은 것을 그림에서 찾아 ◯표 하세요.

🐰**아하! 이렇게 푸는구나!**

'백성 민'은 초목의 싹이 많이 나 있는 모습을 본뜬 글자예요.

기초 집중 **연습**

😊 어휘 확인

2 다음 문장의 내용이 맞으면 'O', 틀리면 'X'에 색칠하세요.

'平民(평민)'은 '벼슬이 없는 일반인'을
뜻합니다.

🐰 급수 유형

3 다음 한자의 뜻을 보기 에서 찾아 그 번호를 쓰세요.

보기
> ① 임금　　　② 아우　　　③ 백성

• 民 ➔ (　　　　　)

🐰 급수 유형

4 다음 밑줄 친 말에 해당하는 한자를 보기 에서 찾아 그 번호를 쓰세요.

보기
> ① 民　　　② 王　　　③ 山

• 초가집에서 살았던 일반 백성 ➔ (　　　　　)

軍 군사 군

🔍 다음 글을 읽고, 오늘 배울 한자를 확인해 보세요.

국군(軍)은 나라 안팎의 적으로부터
나라를 지키기 위해 만든 군(軍)대를 말해요.
국군(軍)은 육군(軍), 해군(軍), 공군(軍)으로 구성되어 있어요.

오늘 배울 한자

軍

군사 군

군사 군

軍

[군사들이 전차를 빙 둘러싸고 진을 친 모습을 본뜬 글자로, **군사**를 뜻해요.]

QR을 보며 따라 써요!

🔍 **연하게 쓰인 한자를 따라 써 본 후, 빈칸에 바르게 쓰세요.**

軍	軍	軍	軍
군사 군	군사 군	군사 군	군사 군
군사 군	군사 군	군사 군	군사 군

4주

그만 울고 일어나야지.

나중에 군대도 가야 할 텐데 이렇게 약해서 어떡하니.

아빠도 군대에 다녀오셨어요?

그럼. 아빠도 우리나라 국군(國軍)의 훌륭한 군인(軍人)이었지.

아빠 배를 타고 우리나라의 바다를 지켰어.

촤아아아

우아, 멋져요!

저는 늠름한 공군(空軍)이 되고 싶어요!

훌륭한 생각이야!

하지만 지금은 너무 아파요.

펄쩍

펄쩍

🔍 '軍(군사 군)'이 들어간 한자어를 알아봅시다.

군 · 한글로 써 보아요.

軍 · 한자로 써 보아요.

국 ◯

나라 안팎의 적으로부터 나라를
지키기 위해 만든 군대

國 ☐

나라 **국**.

◯ 인

군대에서 복무하는 사람

☐ 人

사람 **인**

공 ◯

주로 공중에서 공격과 방어의 임무를
수행하는 군대

空 ☐

빌 **공**

軍 군사 군

1 토끼가 당근을 찾아 길을 떠났어요. '군사'를 뜻하는 한자를 따라가며 당근을 찾도록 선으로 이으세요.

아하! 이렇게 쓰는구나!

'軍'은 군사들이 전차를 빙 둘러싸고 진을 친 모양을 본뜬 글자예요.

기초 집중 **연습**

😊 **어휘 확인**

2 낱말판에서 **설명** 에 해당하는 낱말을 찾아 ◯표 하세요.

한	군	왕
선	인	장
대	모	부

설명

군대에서 복무하는 사람

🐰 **급수 유형**

3 다음 밑줄 친 한자의 음(소리)을 쓰세요.

형이 <u>軍</u>에 입대를 하였습니다.　　　➜　（　　　　　）

🐰 **급수 유형**

4 다음 밑줄 친 음(소리)에 해당하는 한자를 **보기** 에서 찾아 그 번호를 쓰세요.

보기

① 民　　　② 軍　　　③ 王

● <u>군</u>인인 오빠에게 위문편지를 썼습니다. ➜ （　　　　　）

人 사람 인

🔍 다음 글을 읽고, 오늘 배울 한자를 확인해 보세요.

학교에서 영어 말하기 대회가 있었어요.

영어 말하기 대회에는 많은 사람[人]들이 참여했어요.

여러 사람[人] 앞에서 발표하는 것이 떨렸지만

자신감을 가지고 큰 목소리로 발표를 했어요.

오늘 배울 한자

人

사람 인

사람 인

人

[서 있는 사람을 옆에서 본 모습을 본뜬 글
자로, **사람**을 뜻해요.]

QR을 보며 따라 써요!

🔍 **연하게 쓰인 한자를 따라 써 본 후, 빈칸에 바르게 쓰세요.**

人	人	人	人
사람 인	사람 인	사람 인	사람 인
사람 인	사람 인	사람 인	사람 인

4주

4일 사람 한자

人 사람 인

학교 다녀왔습니다!

그래. 잘 다녀왔니?

밝은 목소리로 인사(人事)하는 걸 보니 기분이 좋아 보이는구나.

우리 학교 영어 말하기 대회에서 1등을 했어요!

인기(人氣)가 많은 대회라서 참가자가 많았다는데 정말 장하구나!

쓰담 쓰담

상품으로 귀여운 곰 인형(人形)도 받았어요. 엄마 아빠도 축하 선물 주실 거죠?

척

그래! 어떤 걸 받고 싶니?

수학 숙제를 대신해 주시면 좋겠어요. 헤헤.

으이구.

'人(사람 인)'이 들어간 한자어를 알아봅시다.

인 한글로 써 보아요.

人 한자로 써 보아요.

사

안부를 묻거나 공경을 표하는 일

事

일 **사**

기

어떤 대상에 쏠리는 많은 사람들의
높은 관심

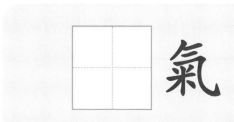

氣

기운 **기**

형

사람 또는 동물 모양으로 만든 장난감

形

모양 **형**

1 한자의 뜻과 음(소리)이 바르게 쓰인 깃발을 들고 있는 친구에 ◯표 하세요.

民 임금 왕

軍 백성 민

人 사람 인

王 마디 촌

아하! 이렇게 푸는구나!

'사람 인'은 사람이 서 있는 모습을 옆에서 본 모양을 본뜬 글자예요.

기초 집중 연습

2 어휘 확인

○에 알맞은 글자를 넣어 낱말을 만드세요.

안부를 묻거나 공경을
표하는 일

⬇

◯ 사

어떤 대상에 쏠리는 많은
사람들의 높은 관심

⬇

◯ 기

사람 또는 동물 모양으로
만든 장난감

⬇

◯ 형

3 급수 유형

다음 한자의 음(소리)을 보기 에서 찾아 그 번호를 쓰세요.

보기

① 민   ② 인   ③ 왕

• 人 ➡ (   )

4 급수 유형

다음 뜻에 알맞은 한자를 보기 에서 찾아 그 번호를 쓰세요.

보기

① 日   ② 木   ③ 人

• 사람 ➡ (   )

先 먼저 선

🔍 다음 글을 읽고, 오늘 배울 한자를 확인해 보세요.

선(先)생님, 친구들과 함께
과학관으로 체험 학습을 갔어요.
과학관에서 여러 선(先)진적인 과학 기술을
쉽고 재미있게 체험해 볼 수 있었어요.
우리나라가 과학 강국이 되도록
과학 공부를 열심히 해야겠다고 다짐했어요.

오늘 배울 한자

先
먼저 선

먼저 선

어떤 사람보다 한 발짝 앞서간 사람의 발자국 모습을 본뜬 글자예요. 그래서 **먼저**, **미리**, **조상**이라는 뜻을 나타내요.

QR을 보며 따라 써요!

🔍 **연하게 쓰인 한자를 따라 써 본 후, 빈칸에 바르게 쓰세요.**

先	先	先	先
먼저 선	먼저 선	먼저 선	먼저 선
먼저 선	먼저 선	먼저 선	먼저 선

4주

先 먼저 선

한자어를 익혀요

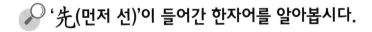 '先(먼저 선)'이 들어간 한자어를 알아봅시다.

선 한글로 써 보아요.

생

학생을 가르치는 사람

先 한자로 써 보아요.

生

날 **생**

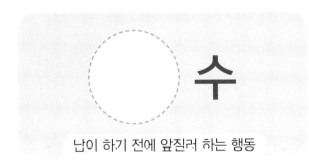

수

남이 하기 전에 앞질러 하는 행동

手

손 **수**

발

남보다 먼저 어떤 일을 시작하거나 길을 떠남.

發

필 **발**

先 먼저 선

1 탐정이 되어 '먼저'를 뜻하는 한자를 모두 찾아 색칠해 보세요.

글자 세 개를
찾으면 미션
완료야.

🐰 **아하!** 이렇게 푸는구나!

'먼저 선'은 어떤 사람보다 한 발짝 앞서간 사람의 발자국을 표현한 글자예요.

어휘 확인

2 '학생을 가르치는 사람'을 뜻하는 낱말로 알맞은 것을 찾아 ◯표 하세요.

선발

선생

선수

급수 유형

3 다음 뜻에 알맞은 한자를 보기 에서 찾아 그 번호를 쓰세요.

> 보기
>
> ① 先 　　② 民 　　③ 軍

● 먼저 ➜ (　　　　　　　)

급수 유형

4 다음 밑줄 친 음(소리)에 해당하는 한자를 보기 에서 찾아 그 번호를 쓰세요.

> 보기
>
> ① 人 　　② 軍 　　③ 先

● <u>선</u>생님께 숙제를 제출했습니다. ➜ (　　　　　　　)

1 다음 ☐ 안에 들어갈 한자에 ◯표 하세요.

사자는 동물 중에서도 ☐으로 손꼽힙니다.

民 / 王

2 다음 밑줄 친 말에 해당하는 한자를 보기 에서 찾아 그 번호를 쓰세요.

보기
① 王   ② 民   ③ 先

● <u>백성</u>은 나라의 근본입니다. → (   )

3 다음에서 '임금'을 뜻하는 한자를 찾아 색칠하세요.

4 다음 한자의 음(소리)을 보기 에서 찾아 그 번호를 쓰세요.

보기
① 군   ② 왕   ③ 선

● 軍 → (   )

5 다음 뜻에 알맞은 한자를 보기 에서 찾아 그 번호를 쓰세요.

보기

① 民　　　② 王　　　③ 軍

● 군사 ➔ (　　　　　　)

6 다음 그림이 나타내는 한자어를 찾아 선으로 이으세요.

人形
(인형)

人事
(인사)

7 다음 밑줄 친 음(소리)에 해당하는 한자를 보기 에서 찾아 그 번호를 쓰세요.

보기

① 王　　　② 人　　　③ 軍

● <u>인</u>기 가수가 나타나자 환호성이 터졌습니다. ➔ (　　　　　　)

8 다음 한자의 뜻을 보기 에서 찾아 그 번호를 쓰세요.

보기

① 임금　　　② 먼저　　　③ 군사

● 先 ➔ (　　　　)

📖 국어+한문 다음 만화를 읽고, 성어의 뜻을 생각해 보세요.

先 見 之 明

먼저 **선** 볼 **견** 갈 **지** 밝을 **명**

아빠! 오늘 기분이 좋으신가 봐요.

응. 오늘은 날씨도 화창한 게 좋은 일이 생길 것 같아.

하지만 곧 기분이 안 좋아지실 거예요.

그러지 말고 오늘 가족 모두 교외로 소풍 갈까?

글쎄요. 오늘은 못 가게 될 것 같아요.

우리 딸이 소풍을 마다하다니. 이럴 때일수록 기분 전환이 필요해.

◆ 성어의 뜻을 살펴보며 빈칸에 알맞은 한자를 채우세요.

선

견 — 見

지 — 之

명 — 明

→ '앞을 내다보는 안목'이라는 뜻으로, 미리 앞을 내다보는 지혜를 이르는 말

📖 코딩+한문 명령어 버튼을 눌렀을 때 로봇의 움직임을 문장으로 쓰세요.

규칙

· 로봇은 버튼을 누른 순서대로 움직입니다.

· '그리고'를 사용하여 두 가지 카드를 모두 가져오도록 시킬 수 있습니다.

· '또는'을 사용하여 두 가지 카드 중 하나를 가져오도록 시킬 수 있습니다.

· '취소'를 사용하여 명령을 취소할 수 있습니다.

카드

王	民	軍	人	先

버튼

   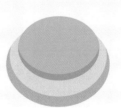 

'王'을 가져옴.　'民'을 가져옴.　'軍'을 가져옴.　'人'을 가져옴.　'先'을 가져옴.

　그리고　　　　또는　　　　취소

예시

분홍색, 검정색, 주황색 버튼을 누르면 로봇은 어떻게 움직일까요?

➡ 王 또는 民 가운데 하나를 가져옵니다.

문제 1

노란색, 흰색, 연두색 버튼을 누르면 로봇은 어떻게 움직일까요?

문제 2

주황색, 보라색, 파란색 버튼을 누르면 로봇은 어떻게 움직일까요?

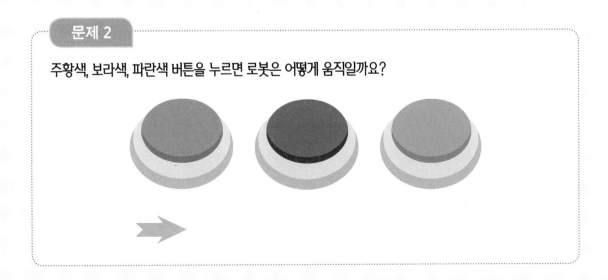

📖 역사+한문 다음 글을 읽고 물음에 답해 보세요.

이순신은 임진왜란에서 일본군을 물리친 우리나라의 영웅이에요.
이순신은 32세의 늦은 나이에 무과에 급제해 ㉠군인이 되었어요.
이순신은 ㉡백성과 나라를 지키고자 어려움 속에서도 거북선을
만들고 군을 지휘하여 전투를 승리로 이끌었어요.

1 ㉠의 음(소리)에 해당하는 한자어를 보기 에서 찾아 그 번호를 쓰세요.

> **보기**
>
> ① 先生　　　② 王子　　　③ 軍人

● 군인 ➡ (　　　　　　)

2 ㉡을 뜻하는 한자를 보기 에서 찾아 그 번호를 쓰세요.

> **보기**
>
> ① 王　　　② 軍　　　③ 民

● 백성 ➡ (　　　　　　)

3 다음 대화에서 밑줄 친 한자어의 음(소리)을 쓰세요.

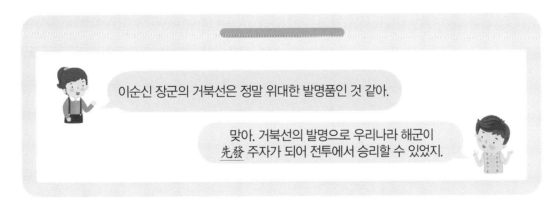

이순신 장군의 거북선은 정말 위대한 발명품인 것 같아.

맞아. 거북선의 발명으로 우리나라 해군이 先發 주자가 되어 전투에서 승리할 수 있었지.

답 _____

[문제 1~3] 다음 글의 [　] 안에 있는 漢字한자의 讀音(독음: 읽는 소리)을 쓰세요.

보기
> 一 → 일

1 매[月] 첫째 주 일요일에
　　　　　　　　　(　　　　　)

2 아빠, [兄]과 함께
　　　　　　　　　(　　　　　)

3 등[山]을 합니다.
　　　　　　　　　(　　　　　)

[문제 4~6] 다음 訓(훈: 뜻)이나 音(음: 소리)에 알맞은 漢字한자를 보기 에서 찾아 그 번호를 쓰세요.

보기
> ① 弟　　② 木　　③ 白

4 백 (　　　　)

5 나무 (　　　　)

6 아우 (　　　　)

[문제 7~9] 다음 밑줄 친 말에 해당하는 漢字한자를 보기 에서 찾아 그 번호를 쓰세요.

보기
> ① 母　　② 水　　③ 土

7 나무에 물을 주었습니다.
　　　　　　　　　(　　　　　)

8 어머니와 방학 숙제를 했습니다.
　　　　　　　　　(　　　　　)

9 흙으로 소꿉놀이를 했습니다.
　　　　　　　　　(　　　　　)

[문제 10~12] 다음 漢字한자의 訓(훈: 뜻)과 音(음: 소리)을 쓰세요.

보기
> 一 → 한 일

10 日 (　　　　　)

11 靑 (　　　　　)

12 軍 (　　　　　)

[문제 13~15] 다음 漢字한자의 訓(훈: 뜻)을 보기 에서 찾아 그 번호를 쓰세요.

보기
① 사람   ② 불   ③ 임금

13 火 (   )

14 王 (   )

15 人 (   )

[문제 16~18] 다음 漢字한자의 音(음: 소리)을 보기 에서 찾아 그 번호를 쓰세요.

보기
① 민   ② 선   ③ 금/김

16 金 (   )

17 民 (   )

18 先 (   )

[문제 19~20] 다음 漢字한자의 진하게 표시된 획은 몇 번째 쓰는지 보기 에서 찾아 그 번호를 쓰세요.

보기
① 첫 번째   ② 두 번째
③ 세 번째   ④ 네 번째

19  (   )

20  (   )

[문제 1~3] 다음 글의 [ ] 안에 있는 漢字한자의 讀音(독음: 읽는 소리)을 쓰세요.

> 보기
>
> 一 → 일

1 식 [木] 일에

(   )

2 [父]

(   )

3 [母] 님과 나무를 심었습니다.

(   )

[문제 4~6] 다음 訓(훈: 뜻)이나 音(음: 소리)에 알맞은 漢字한자를 보기 에서 찾아 그 번호를 쓰세요.

> 보기
>
> ① 寸   ② 日   ③ 水

4 수 (   )

5 날 (   )

6 촌 (   )

[문제 7~9] 다음 밑줄 친 말에 해당하는 漢字한자를 보기 에서 찾아 그 번호를 쓰세요.

> 보기
>
> ① 火   ② 青   ③ 先

7 불이 활활 타오릅니다.

(   )

8 먼저 학교로 출발했습니다.

(   )

9 푸른 하늘이 아름답습니다.

(   )

[문제 10~12] 다음 漢字한자의 訓(훈: 뜻)과 音(음: 소리)을 쓰세요.

> 보기
>
> 一 → 한 일

10 父 (   )

11 月 (   )

12 人 (   )

[문제 13~15] 다음 漢字한자의 訓(훈: 뜻)을 보기 에서 찾아 그 번호를 쓰세요.

보기
① 군사　　② 아우　　③ 희다

13 弟 (　　　　　)

14 軍 (　　　　　)

15 白 (　　　　　)

[문제 16~18] 다음 漢字한자의 音(음: 소리)을 보기 에서 찾아 그 번호를 쓰세요.

보기
① 산　　② 왕　　③ 토

16 山 (　　　　　)

17 土 (　　　　　)

18 王 (　　　　　)

[문제 19~20] 다음 漢字한자의 진하게 표시된 획은 몇 번째 쓰는지 보기 에서 찾아 그 번호를 쓰세요.

보기
① 첫 번째　　② 두 번째
③ 세 번째　　④ 네 번째

19

(　　　　　)

20

(　　　　　)

학습 내용 찾아보기

memo

memo

 붙임 딱지

🐻 46～47쪽

시작	오른쪽으로 가기
위로 가기	오른쪽으로 가기
아래로 가기	오른쪽으로 가기
오른쪽으로 가기	오른쪽으로 가기
오른쪽으로 가기	완성

🐻 88～89쪽

🐻 90～91쪽

火　水　木　金　土

자연 한자

日

날 일

자연 한자

月

달 월

자연 한자

火

불 화

자연 한자

水

물 수

한자와 뜻·음(소리)을 쓰세요.

月

뜻 _____

음 _____

한자와 뜻·음(소리)을 쓰세요.

日

뜻 _____

음 _____

한자와 뜻·음(소리)을 쓰세요.

水

뜻 _____

음 _____

한자와 뜻·음(소리)을 쓰세요.

火

뜻 _____

음 _____

자연 한자

木

나무 목

자연 한자

金

쇠 금/성 김

자연 한자

土

흙 토

자연 한자

山

메 산

🐼 한자와 뜻·음(소리)을 쓰세요.

뜻 _____

음 _____

🐼 한자와 뜻·음(소리)을 쓰세요.

뜻 _____

음 _____

🐼 한자와 뜻·음(소리)을 쓰세요.

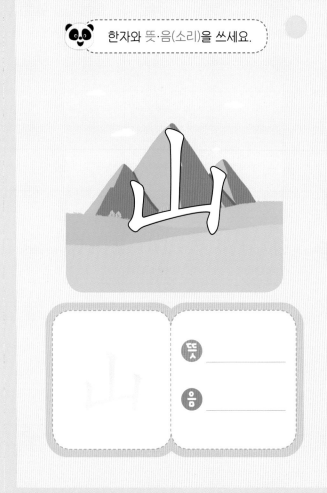

뜻 _____

음 _____

🐼 한자와 뜻·음(소리)을 쓰세요.

뜻 _____

음 _____

자연 한자

푸를 청

자연 한자

흰 백

가족 한자

아버지 부

가족 한자

어머니 모

🐼 한자와 뜻·음(소리)을 쓰세요.

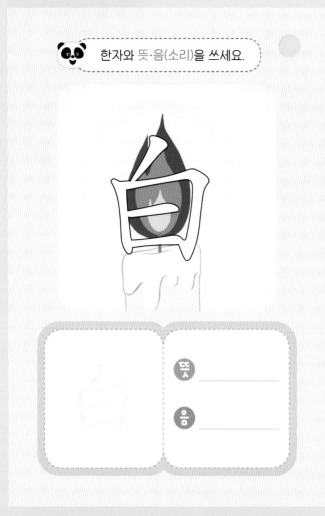

뜻 _____

음 _____

🐼 한자와 뜻·음(소리)을 쓰세요.

뜻 _____

음 _____

🐼 한자와 뜻·음(소리)을 쓰세요.

뜻 _____

음 _____

🐼 한자와 뜻·음(소리)을 쓰세요.

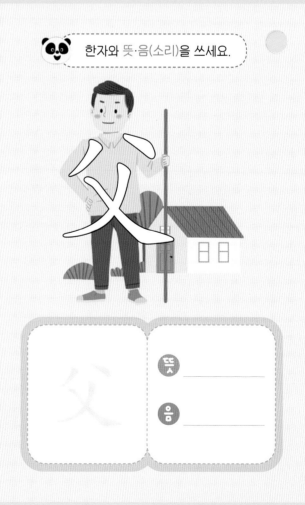

뜻 _____

음 _____

가족 한자

형 형

가족 한자

아우 제

가족 한자

마디 촌

사람 한자

임금 왕

한자와 뜻·음(소리)을 쓰세요.

뜻 _____

음 _____

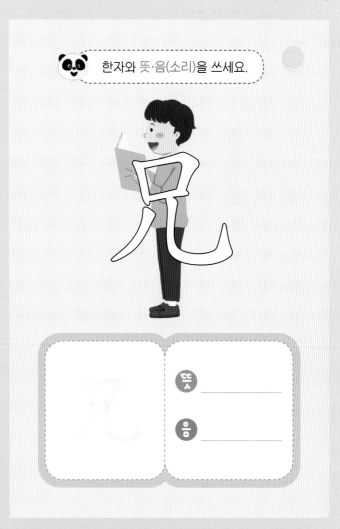

한자와 뜻·음(소리)을 쓰세요.

뜻 _____

음 _____

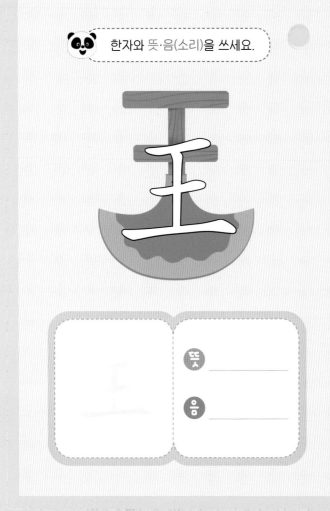

한자와 뜻·음(소리)을 쓰세요.

뜻 _____

음 _____

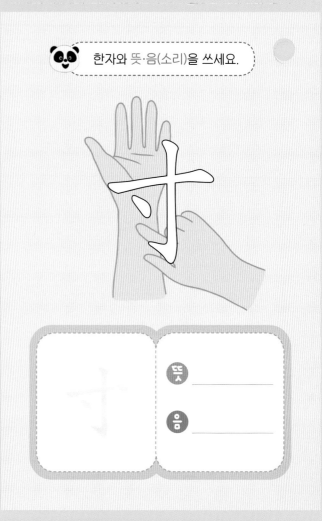

한자와 뜻·음(소리)을 쓰세요.

뜻 _____

음 _____

사람 한자

民

백성 인

사람 한자

軍

군사 군

사람 한자

人

사람 인

사람 한자

先

먼저 선

🐼 한자와 뜻·음(소리)을 쓰세요.

뜻 _____

음 _____

🐼 한자와 뜻·음(소리)을 쓰세요.

뜻 _____

음 _____

🐼 한자와 뜻·음(소리)을 쓰세요.

뜻 _____

음 _____

🐼 한자와 뜻·음(소리)을 쓰세요.

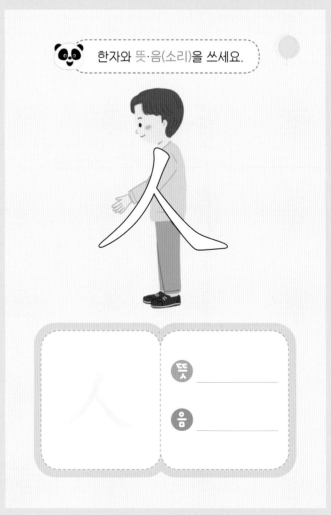

뜻 _____

음 _____

수학 단원평가

각종 학교 시험, 한 권으로 끝내자!

수학 단원평가

초등 1~6학년(학기별)

쪽지시험, 단원평가, 서술형 평가 등 다양한 수행평가에 맞는 최신 경향의 문제 수록
A, B, C 세 단계 난이도의 단원평가로 실력을 점검하고 부족한 부분을 빠르게 보충 가능
기본 개념 문제로 구성된 쪽지시험과 단원평가 5회분으로 확실한 단원 마무리

똑똑한 하루 시/리/즈

✂ 쉽다!

10분이면 하루치 공부를 마칠 수 있는 커리큘럼으로, 아이들이 초등 학습에 쉽고 재미있게 접근할 수 있도록 구성하였습니다.

🧩 재미있다!

교과서는 물론 생활 속에서 쉽게 접할 수 있는 다양한 소재와 재미있는 게임 형식의 문제로 흥미로운 학습이 가능합니다.

📖 똑똑하다!

초등학생에게 꼭 필요한 학습 지식 습득은 물론 창의력 확장까지 가능한 교재로 올바른 공부습관을 가지는 데 도움을 줍니다.

과목	교재 구성	과목	교재 구성
하루 독해	예비초~6학년 각 A·B (14권)	하루 VOCA	3~6학년 각 A·B (8권)
하루 어휘	예비초~6학년 각 A·B (14권)	하루 Grammar	3~6학년 각 A·B (8권)
하루 글쓰기	예비초~6학년 각 A·B (14권)	하루 Reading	3~6학년 각 A·B (8권)
하루 한자	예비초: 예비초 A·B (2권) 1~6학년: 1A~4C (12권)	하루 Phonics	Starter A·B / 1A~3B (8권)
하루 수학	1~6학년 1·2학기 (12권)	하루 봄·여름·가을·겨울	1~2학년 각 2권 (8권)
하루 계산	예비초~6학년 각 A·B (14권)	하루 사회	3~6학년 1·2학기 (8권)
하루 도형	예비초~6학년 각 A·B (14권)	하루 과학	3~6학년 1·2학기 (8권)
하루 사고력	1~6학년 각 A·B (12권)	하루 안전	1~2학년 (2권)

※ 각 교재별 출간 시기는 조금씩 다르며, 일부 교재는 순차적으로 출시될 예정입니다.

똑 똑 한

하루
한자

정답

천재교육

배운 내용은
꼭꼭 복습하기!

똑 똑 한

하루
한자

정답

1 단계
B
8급 기초2

1주 도입

1주에는 무엇을 공부할까? ❷

이번 주에 배울 한자들이 그림 속에 숨어 있어요. 보기를 참고해서 한자를 찾아보세요.

보기 日 날 일   月 달 월   火 불 화   水 물 수   木 나무 목

10 • 똑똑한 하루 한자

1단계-B 1주 • 11

1주 1일

1일 자연 한자   日 날 일

기초 실력을 키워요

1 다음 그림에 제시된 한자의 뜻과 음(소리)을 바르게 말한 사람을 찾아 ○표 하세요.

달 월   한 일   날 일

아하! 이렇게 되는구나!

日은 해를 뜻하는 글자로, 해가 떠 있는 동안이 하루이므로 날도 뜻하게 되었어요.

16 • 똑똑한 하루 한자

기초 집중 연습

2 ◯에 알맞은 글자를 넣어 낱말을 만드세요.

태어난 날 → 생 일

오늘 뒤에 올 날 → 내 일

겪은 일이나 느낌 등을 날마다 적음. → 일 기

3 다음 밑줄 친 한자의 음(소리)을 쓰세요.

내 생日은 5월 10일입니다.   → (일)

4 다음 한자의 뜻을 보기에서 찾아 그 번호를 쓰세요.

보기   ① 강   ② 날   ③ 달

• 日 → (②)

1단계-B 1주 • 17

1주
2일

2일 月 달 월

자연 한자

기초 실력을 키워요

정답 3쪽

기초 집중 연습

1 다음 한자의 뜻과 음(소리)으로 알맞은 것을 찾아 선으로 이으세요.

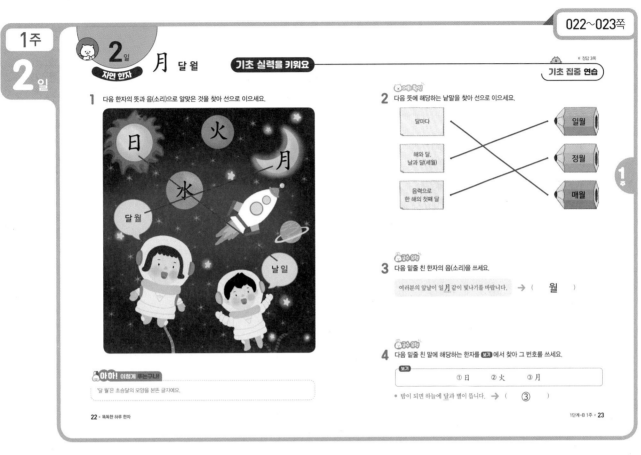

日 火
水 月
달 월
날 일

아하! 이렇게 푸는구나!

'달 월'은 초승달의 모양을 본뜬 글자예요.

2 다음 뜻에 해당하는 낱말을 찾아 선으로 이으세요.

달마다		일월
해와 달, 날과 달(세월)		정월
음력으로 한 해의 첫째 달		매월

3 다음 밑줄 친 한자의 음(소리)을 쓰세요.

여러분의 앞날이 일月 같이 빛나기를 바랍니다. → (월)

4 다음 밑줄 친 말에 해당하는 한자를 보기 에서 찾아 그 번호를 쓰세요.

보기
① 日　② 火　③ 月

• 밤이 되면 하늘에 달과 별이 뜹니다. → (③)

22 • 똑똑한 하루 한자

1단계-B 1주 • 23

1주
3일

3일 火 불 화

자연 한자

기초 실력을 키워요

정답 3쪽

기초 집중 연습

1 그림 속에 숨겨진 한자를 찾고, 한자의 뜻과 음(소리)으로 알맞은 것을 선으로 이으세요.

달 월
불 화

아하! 이렇게 푸는구나!

火와 月이 들어 있는 그림을 찾아보면 각 한자의 뜻을 알 수 있어요.

2 다음에서 '불이 탈 때 내는 열의 힘'을 뜻하는 낱말을 ○표 하세요.

화력 화산 화기

3 보기 와 같이 다음 한자의 뜻과 음(소리)을 쓰세요.

보기
月 → 달 월

• 火 → (불 화)

4 다음 밑줄 친 말에 해당하는 한자를 보기 에서 찾아 그 번호를 쓰세요.

보기
① 日　② 火　③ 月

• 불장난을 하면 안 됩니다. → (②)

28 • 똑똑한 하루 한자

1단계-B 1주 • 29

1단계-B 정답 • **3**

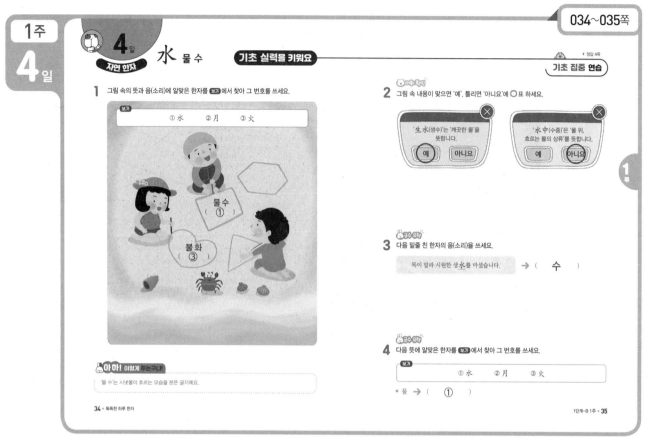

1주 TEST

1주 누구나 100점 TEST

정답 5쪽

맞은 개수 / 8개

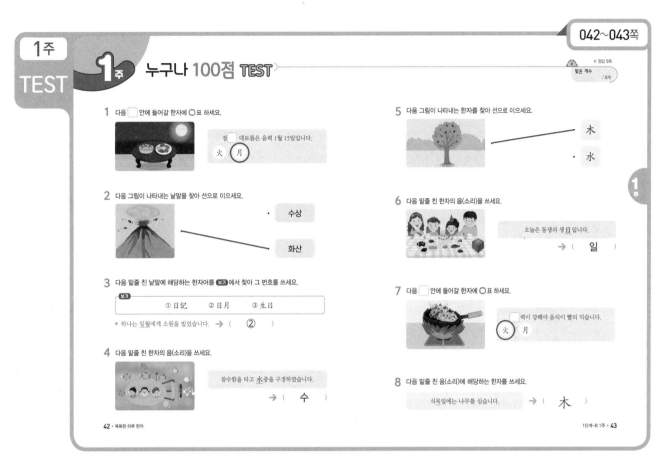

1 다음 □ 안에 들어갈 한자에 ○표 하세요.

정 □ 대보름은 음력 1월 15일입니다.

火　(月)

2 다음 그림이 나타내는 낱말을 찾아 선으로 이으세요.

· 수상

화산

3 다음 밑줄 친 낱말에 해당하는 한자어를 보기 에서 찾아 그 번호를 쓰세요.

보기
① 日記　② 日月　③ 生日

· 하나는 일월에게 소원을 빌었습니다. → (②)

4 다음 밑줄 친 한자의 음(소리)을 쓰세요.

잠수함을 타고 水중을 구경하였습니다.

→ (수)

5 다음 그림이 나타내는 한자를 찾아 선으로 이으세요.

木

· 水

6 다음 밑줄 친 한자의 음(소리)을 쓰세요.

오늘은 동생의 생日입니다.

→ (일)

7 다음 □ 안에 들어갈 한자에 ○표 하세요.

□력이 강해야 음식이 빨리 익습니다.

火　月

8 다음 밑줄 친 음(소리)에 해당하는 한자를 쓰세요.

식목일에는 나무를 심습니다. → (木)

42 · 똑똑한 하루 한자

1단계-B 1주 · 43

1주 특강

1주 특강 창의·융합·코딩 생각을 키워요 ❶

정답 5쪽

国어+한문 다음 만화를 읽고, 성어의 뜻을 생각해 보세요.

作 心 三 日
지을 작　마음 심　석 삼　날 일

◆ 성어의 뜻을 살펴보며 빈칸에 알맞은 한자를 채우세요.

작　심　상　일
作　心　三　日

→ '단단히 먹은 마음이 3일을 가지 못한다.'는 뜻으로, 결심이 굳지 못함을 이르는 말

44 · 똑똑한 하루 한자

1단계-B 1주 · 45

1단계-B 정답 · **5**

1주
특강

1주 특강 생각을 키워요 ②

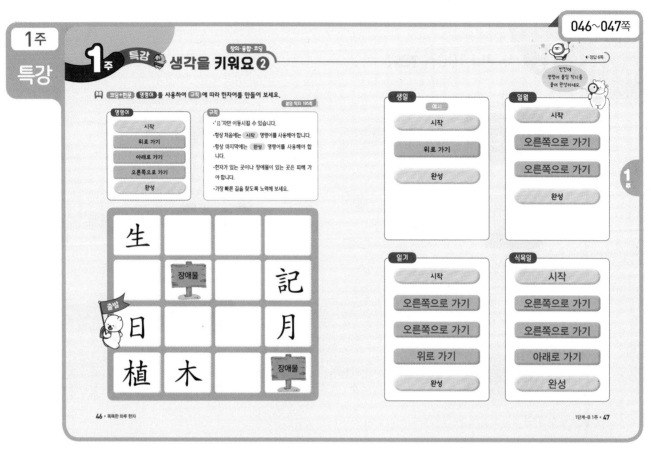

1주
특강

1주 특강 생각을 키워요 ③

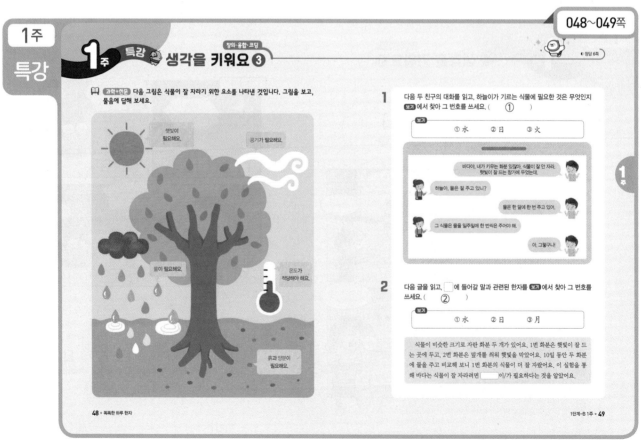

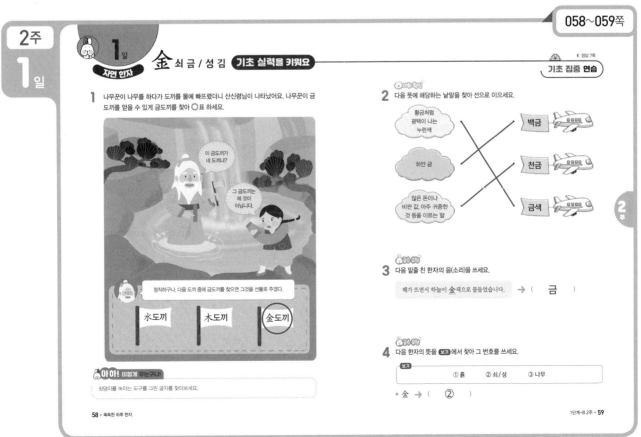

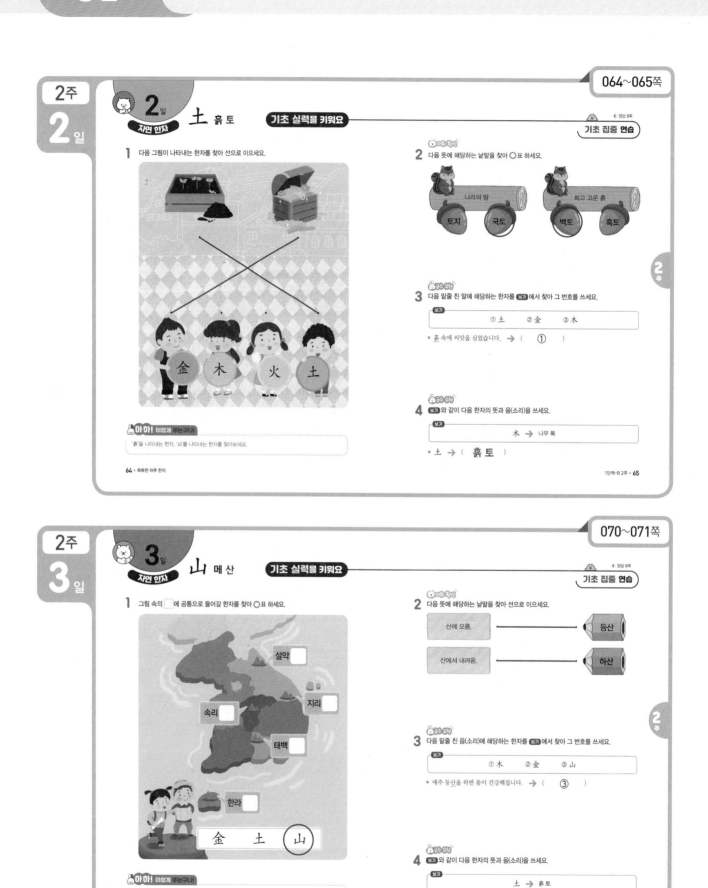

2주
2일

2일 土 흙 토 · 자연 한자 · 기초 실력을 키워요 · 기초 집중 연습

◉ 정답 8쪽

1 다음 그림이 나타내는 한자를 찾아 선으로 이으세요.

金 木 火 土

아하! 이렇게 푸는구나!
'흙'을 나타내는 한자, '쇠'를 나타내는 한자를 찾아보세요.

64 · 똑똑한 하루 한자

2 다음 뜻에 해당하는 낱말을 찾아 ○표 하세요.

나라의 땅 : 토지 · 국토
희고 고운 흙 : 백토 · 흑토

3 다음 밑줄 친 말에 해당하는 한자를 보기에서 찾아 그 번호를 쓰세요.

보기
① 土 ② 金 ③ 木

• 흙 속에 씨앗을 심었습니다. → (①)

4 보기와 같이 다음 한자의 뜻과 음(소리)을 쓰세요.

보기
木 → 나무 목

• 土 → (흙 토)

1단계-B 2주 · 65

2주
3일

3일 山 메 산 · 자연 한자 · 기초 실력을 키워요 · 기초 집중 연습

◉ 정답 8쪽

1 그림 속의 □에 공통으로 들어갈 한자를 찾아 ○표 하세요.

설악 □
속리 □
지리 □
태백 □
한라 □

金 土 山

아하! 이렇게 푸는구나!
제시된 그림은 우리나라의 유명한 '산'을 나타내고 있어요.

70 · 똑똑한 하루 한자

2 다음 뜻에 해당하는 낱말을 찾아 선으로 이으세요.

산에 오름. — 등산
산에서 내려옴. — 하산

3 다음 밑줄 친 음(소리)에 해당하는 한자를 보기에서 찾아 그 번호를 쓰세요.

보기
① 木 ② 金 ③ 山

• 매주 등산을 하면 몸이 건강해집니다. → (③)

4 보기와 같이 다음 한자의 뜻과 음(소리)을 쓰세요.

보기
土 → 흙 토

• 山 → (메 산)

1단계-B 2주 · 71

2주

4일

4일 자연 한자 **靑** 푸를 청 **기초 실력을 키워요** 정답 9쪽

기초 집중 연습

1 공굴리기 경기에서 우승한 팀은 어느 팀인지 보기에서 찾아 그 번호를 쓰세요.

보기
① 土 ② 靑 ③ 金

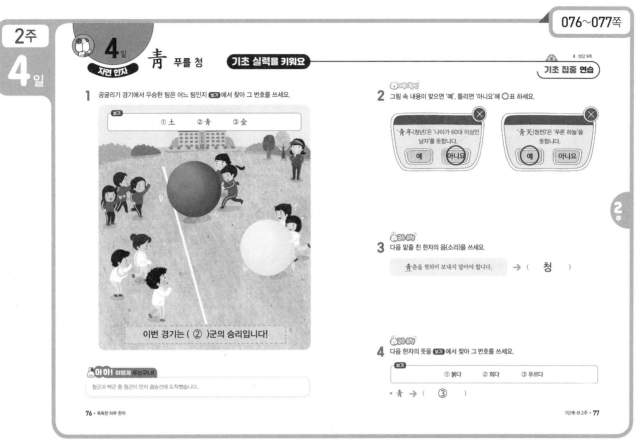

이번 경기는 (②)군의 승리입니다!

아하! 이렇게 푸는구나!

청군과 백군 중 청군이 먼저 결승선에 도착했습니다.

76 • 똑똑한 하루 한자

2 그림 속 내용이 맞으면 '예', 틀리면 '아니요'에 ○표 하세요.

'靑年(청년)'은 '나이가 60대 이상인 남자'를 뜻합니다.
예 | **아니요**

'靑天(청천)'은 '푸른 하늘'을 뜻합니다.
예 | 아니요

3 다음 밑줄 친 한자의 음(소리)을 쓰세요.

靑춘을 헛되이 보내지 말아야 합니다. → (청)

4 다음 한자의 뜻을 보기에서 찾아 그 번호를 쓰세요.

보기
① 붉다 ② 희다 ③ 푸르다

• 靑 → (③)

1단계-B 2주 • 77

2주

5일

5일 자연 한자 **白** 흰 백 **기초 실력을 키워요** 정답 9쪽

기초 집중 연습

1 다음 그림에서 백군과 청군은 각각 어느 팀인지 □에 알맞은 한자를 쓰세요.

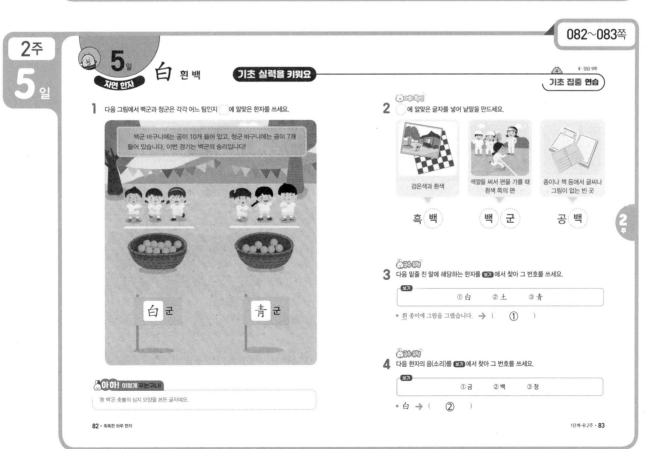

백군 바구니에는 공이 10개 들어 있고, 청군 바구니에는 공이 7개 들어 있습니다. 이번 경기는 백군의 승리입니다!

白 군 | 靑 군

아하! 이렇게 푸는구나!

'흰 백'은 촛불의 심지 모양을 본뜬 글자예요.

82 • 똑똑한 하루 한자

2 □에 알맞은 글자를 넣어 낱말을 만드세요.

검은색과 흰색
흑 **白**

색깔을 써서 편을 가를 때 흰색 쪽의 편
白 군

종이나 책 등에서 글씨나 그림이 없는 빈 곳
공 **白**

3 다음 밑줄 친 말에 해당하는 한자를 보기에서 찾아 그 번호를 쓰세요.

보기
① 白 ② 土 ③ 靑

• 흰 종이에 그림을 그렸습니다. → (①)

4 다음 한자의 음(소리)를 보기에서 찾아 그 번호를 쓰세요.

보기
① 금 ② 백 ③ 청

• 白 → (②)

1단계-B 2주 • 83

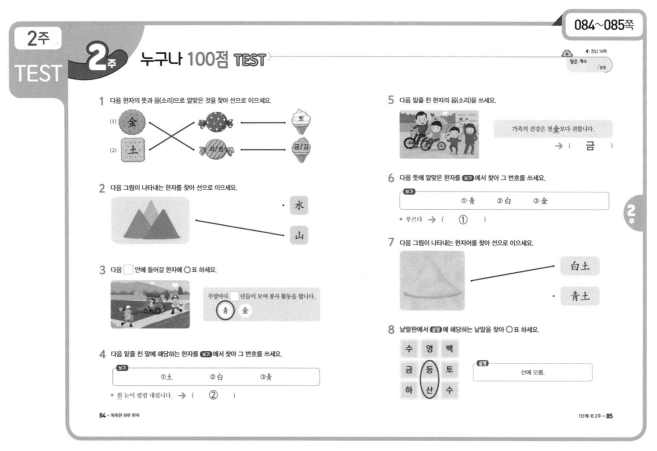

2주
TEST

2주 누구나 100점 TEST

2주
특강

2주 특강 생각을 키워요 ❶

2주 특강

2주 특강 생각을 키워요 ②
창의·융합·코딩

⟳ 정답 11쪽

코딩+한문 가족들과 놀러 온 하늘이는 주변 풍경을 그리고 있습니다. 명령어 에 따라 오른쪽 그림을 완성하세요. 붙임 딱지 185쪽

명령어

1. 시작하기

2. '日'을 나타내는 그림 붙임 딱지를 붙이세요.

3. '木'을 나타내는 그림 붙임 딱지를 붙이세요.

4. '山'을 나타내는 그림 붙임 딱지를 붙이세요.

5. 물을 '水'색으로 색칠하세요.

6. '土'를 나타내는 그림 붙임 딱지를 붙이세요.

7. 종료하기

2주 특강

2주 특강 생각을 키워요 ③
창의·융합·코딩

⟳ 정답 11쪽

수학+한문 바다는 매일 해야 하는 일들을 달력에 꼼꼼히 적는답니다. 바다의 달력을 보고, 다음 물음에 답해 보세요.

1 달력의 ☐에 알맞은 요일 붙임 딱지를 붙이세요. 붙임 딱지 185쪽

2 다음 두 친구의 대화에서 ☐에 알맞은 한자를 쓰세요.

바다야, 이번 달 편지 쓰기 해야 하는 날이 언제지?

히, 크긴 둘째 주 金요일까지.

셋째 주 火요일에는 뭐가 있었지?

숙제 검사를 하는 날이지

한자 시험은 언제 보는 거지?

한자 시험은 넷째 주 土요일에 있어.

3 다음 학생이 내는 퀴즈의 정답으로 알맞은 수를 쓰세요.

첫째 주
日요일 날짜와
土요일 날짜를
더하면?

답 8

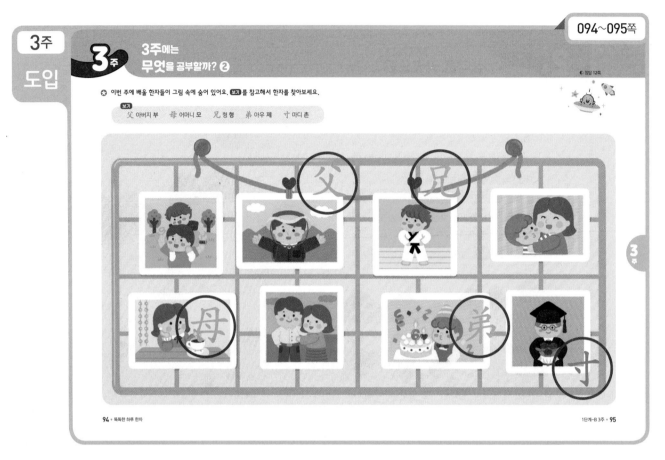

094~095쪽

3주

도입

3주에는
무엇을 공부할까? ❷

정답 12쪽

이번 주에 배울 한자들이 그림 속에 숨어 있어요. 보기 를 참고해서 한자를 찾아보세요.

보기
父 아버지 부   母 어머니 모   兄 형 형   弟 아우 제   寸 마디 촌

94 • 똑똑한 하루 한자

1단계-B 3주 • 95

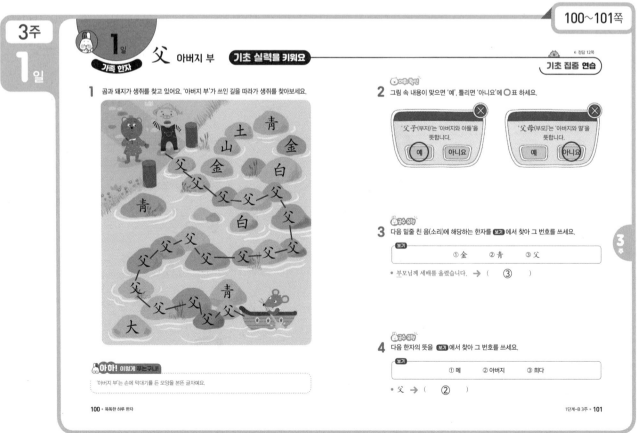

100~101쪽

3주

1일

가족 한자

1일

父 아버지 부   기초 실력을 키워요

정답 12쪽

기초 집중 연습

1 곰과 돼지가 생쥐를 찾고 있어요. '아버지 부'가 쓰인 길을 따라가 생쥐를 찾아보세요.

아하! 이렇게 쓰는구나!

'아버지 부'는 손에 막대기를 든 모양을 본뜬 글자예요.

2 그림 속 내용이 맞으면 '예', 틀리면 '아니요'에 ○표 하세요.

'父 子(부자)'는 '아버지와 아들'을 뜻합니다. [예] 아니요

'父 母(부모)'는 '아버지와 딸'을 뜻합니다. 예 [아니요]

3 다음 밑줄 친 음(소리)에 해당하는 한자를 보기 에서 찾아 그 번호를 쓰세요.

보기
① 金   ② 青   ③ 父

• <u>부</u>모님께 세배를 올렸습니다. → (③)

4 다음 한자의 뜻을 보기 에서 찾아 그 번호를 쓰세요.

보기
① 메   ② 아버지   ③ 희다

• 父 → (②)

100 • 똑똑한 하루 한자

1단계-B 3주 • 101

3주 2일

3주 2일

2일 가족 한자 **母** 어머니 모 **기초 실력을 키워요** ◀ 정답 13쪽 **기초 집중 연습**

1 다음 가족사진을 보고, 뜻과 음(소리)에 해당하는 한자를 보기에서 찾아 그 번호를 쓰세요.

보기
① 父 ② 山 ③ 母

어머니 모 (③)

아버지 부 (①)

아하! 이렇게 쓰는구나
'아버지 부'는 '손에 막대기를 든 모양'을 나타낸 글자예요. '어머니 모'는 '여인이 무릎을 꿇고 앉아 아이에게 젖을 먹이는 모습'을 나타낸 글자예요.

2 다음에서 '자기를 낳은 어머니'를 뜻하는 낱말을 찾아 ○표 하세요.

생모 / 모국 / 모자

3 다음 밑줄 친 한자어의 음(소리)을 쓰세요.

자식을 향한 <u>父母</u>의 사랑은 끝이 없습니다. → (부모)

4 다음 뜻에 알맞은 한자를 보기에서 찾아 그 번호를 쓰세요.

보기
① 父 ② 母 ③ 靑

• 어머니 → (②)

3주 3일

3주 3일

3일 가족 한자 **兄** 형 형 **기초 실력을 키워요** ◀ 정답 13쪽 **기초 집중 연습**

1 다음은 아기 돼지 삼형제 이야기의 마지막 장면입니다. 빈칸에 알맞은 한자를 보기에서 찾아 그 번호를 쓰세요.

보기
① 父 ② 母 ③ 兄

아기 돼지 삼___제 중 가장 튼튼한 집을 지은 것은 막내였어요. 늑대가 굴뚝으로 들어왔지만 난로에 불을 지펴 늑대를 쫓아냈어요.
→ (③)

아하! 이렇게 쓰는구나
'형제'는 '형과 아우'를 뜻하는 말이에요. '형 형'은 사람 모습 위에 크게 입을 벌린 모양을 본뜬 글자예요.

2 낱말판에서 설명에 해당하는 낱말을 찾아 ○표 하세요.

형	제	만
부	백	토
모	산	청

설명
형과 아우

3 다음 한자의 뜻을 보기에서 찾아 그 번호를 쓰세요.

보기
① 어머니 ② 아버지 ③ 형

• 兄 → (③)

4 다음 밑줄 친 음(소리)에 해당하는 한자를 보기에서 찾아 그 번호를 쓰세요.

보기
① 兄 ② 父 ③ 白

• <u>형</u>제간에 우애 있게 지내야 합니다. → (①)

118~119쪽

3주
4일

4일 弟 아우 제
가족 한자

기초 실력을 키워요

기초 집중 **연습**

◀ 정답 14쪽

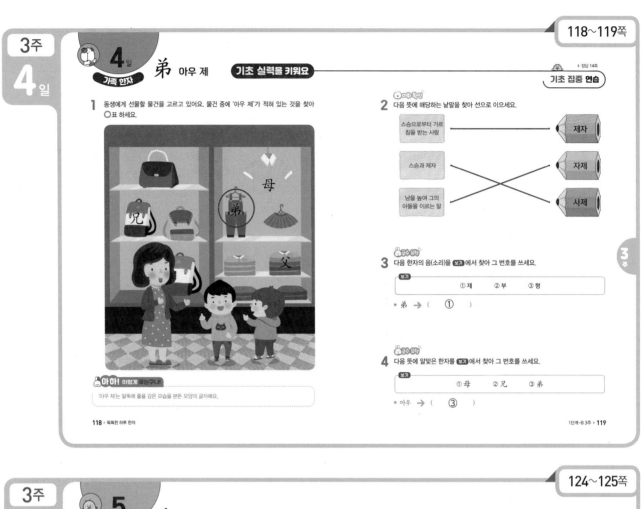

1 동생에게 선물할 물건을 고르고 있어요. 물건 중에 '아우 제'가 적혀 있는 것을 찾아 ○표 하세요.

아하! 이렇게 쓰는구나!
'아우 제'는 밧줄에 줄을 감은 모습을 본뜬 모양의 글자예요.

2 다음 뜻에 해당하는 낱말을 찾아 선으로 이으세요.

스승으로부터 가르 침을 받는 사람 ——— 제자

스승과 제자 ✕ 자제

남을 높여 그의 아들을 이르는 말 사제

3 다음 한자의 음(소리)을 보기 에서 찾아 그 번호를 쓰세요.

보기 ① 제 ② 부 ③ 형

• 弟 → (①)

4 다음 뜻에 알맞은 한자를 보기 에서 찾아 그 번호를 쓰세요.

보기 ① 母 ② 兄 ③ 弟

• 아우 → (③)

118 • 똑똑한 하루 한자

1단계-B 3주 • 119

124~125쪽

3주
5일

5일 寸 마디 촌
가족 한자

기초 실력을 키워요

기초 집중 **연습**

◀ 정답 14쪽

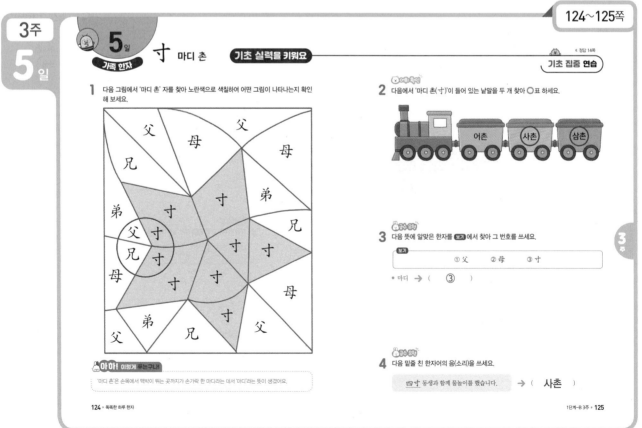

1 다음 그림에서 '마디 촌' 자를 찾아 노란색으로 색칠하여 어떤 그림이 나타나는지 확인해 보세요.

아하! 이렇게 푸는구나!
'마디 촌'은 손목에서 맥박이 뛰는 곳까지가 손가락 한 마디라는 데서 '마디'라는 뜻이 생겼어요.

2 다음에서 '마디 촌(寸)'이 들어 있는 낱말을 두 개 찾아 ○표 하세요.

어촌 사촌 삼촌

3 다음 뜻에 알맞은 한자를 보기 에서 찾아 그 번호를 쓰세요.

보기 ① 父 ② 母 ③ 寸

• 마디 → (③)

4 다음 밑줄 친 한자어의 음(소리)을 쓰세요.

四寸 동생과 함께 물놀이를 했습니다. → (사촌)

124 • 똑똑한 하루 한자

1단계-B 3주 • 125

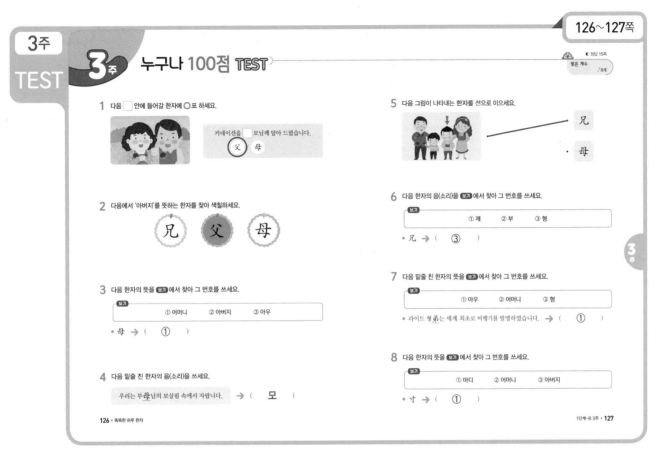

3주 특강

3주 특강 생각을 키워요 ❷ 창의·융합·코딩

정답 16쪽

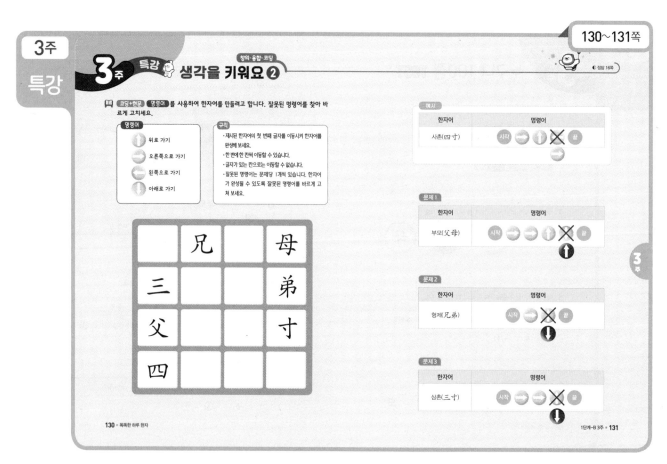

3주 특강

3주 특강 생각을 키워요 ❸ 창의·융합·코딩

정답 16쪽

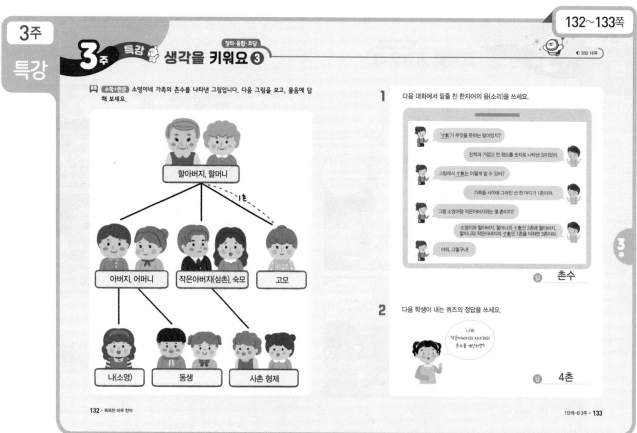

4주

도입

4주

4주에는
무엇을 공부할까? ❷

◑ 정답 17쪽

☆ 이번 주에 배울 한자들이 그림 속에 숨어 있어요. 보기 를 참고해서 한자를 찾아보세요.

보기 王 임금 왕 民 백성 민 軍 군사 군 人 사람 인 先 먼저 선

4주

1일

1일

사람 한자

王 임금 왕

기초 실력을 키워요

◑ 정답 17쪽

기초 집중 연습

1 보기 에 제시된 한자의 뜻을 바르게 말한 토끼에 ○표 하세요.

보기 王 → ( )왕

아우

어머니

임금

아하! 이렇게 푸는구나

'王'은 커다란 도끼 모양을 본뜬 글자에요.

2 다음에서 '왕자'의 뜻을 바르게 말한 학생에 ○표 하세요.

임금의 집안 임금의 아들 나라의 임금

3 다음 뜻에 알맞은 한자를 보기 에서 찾아 그 번호를 쓰세요.

보기 ① 母 ② 兄 ③ 王

• 임금 → (③)

4 다음 한자의 음(소리)을 보기 에서 찾아 그 번호를 쓰세요.

보기 ① 왕 ② 형 ③ 부

• 王 → (①)

4주
2일

2일 民 백성 민
사람 한자

기초 실력을 키워요

기초 집중 연습

1 '백성'을 뜻하는 한자로 알맞은 것을 그림에서 찾아 ◯표 하세요.

아하! 이렇게 쿠는구나!
'백성 민'은 초목의 싹이 많이 나 있는 모습을 본뜬 글자예요.

2 다음 문장의 내용이 맞으면 'O', 틀리면 'X'에 색칠하세요.

'平民(평민)'은 '벼슬이 없는 일반인'을 뜻합니다.

3 다음 한자의 뜻을 보기 에서 찾아 그 번호를 쓰세요.

보기
① 임금   ② 아우   ③ 백성

• 民 → (③)

4 다음 밑줄 친 말에 해당하는 한자를 보기 에서 찾아 그 번호를 쓰세요.

보기
① 民   ② 王   ③ 山

• 초가집에서 살았던 일반 백성 → (①)

148 • 똑똑한 하루 한자

1단계-B 4주 • 149

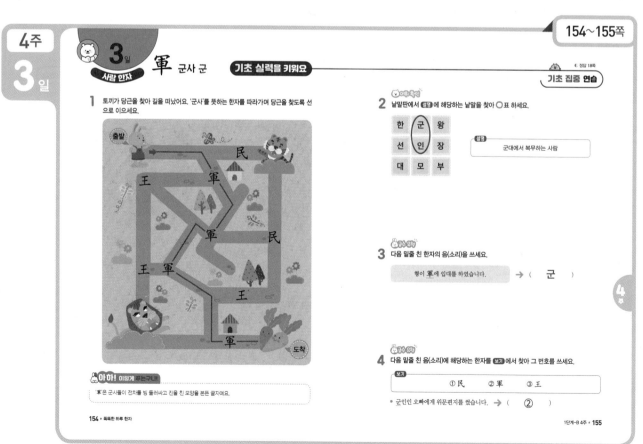

4주
3일

3일 軍 군사 군
사람 한자

기초 실력을 키워요

기초 집중 연습

1 토끼가 당근을 찾아 길을 떠났어요. '군사'를 뜻하는 한자를 따라가며 당근을 찾도록 선으로 이으세요.

아하! 이렇게 쿠는구나!
'軍'은 군사들이 전차를 빙 둘러싸고 진을 친 모양을 본뜬 글자예요.

2 낱말판에서 설명 에 해당하는 낱말을 찾아 ◯표 하세요.

한	군	왕
선	인	장
대	모	부

설명
군대에서 복무하는 사람

3 다음 밑줄 친 한자의 음(소리)을 쓰세요.

형이 軍에 입대를 하였습니다. → (군)

4 다음 밑줄 친 음(소리)에 해당하는 한자를 보기 에서 찾아 그 번호를 쓰세요.

보기
① 民   ② 軍   ③ 王

• 군인인 오빠에게 위문편지를 썼습니다. → (②)

154 • 똑똑한 하루 한자

1단계-B 4주 • 155

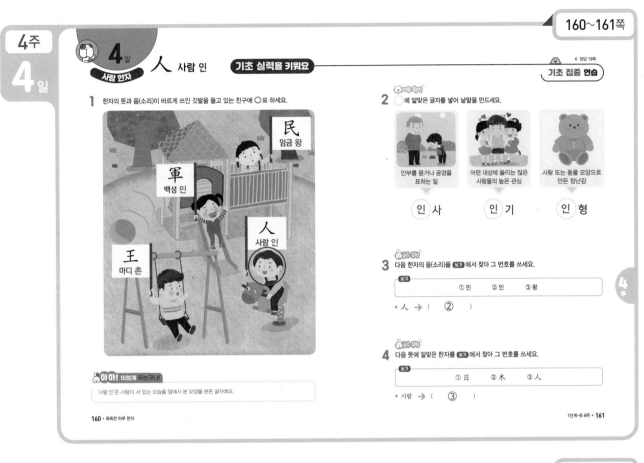

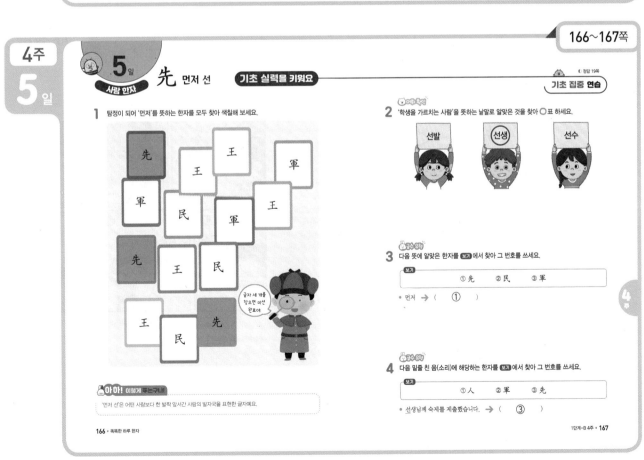

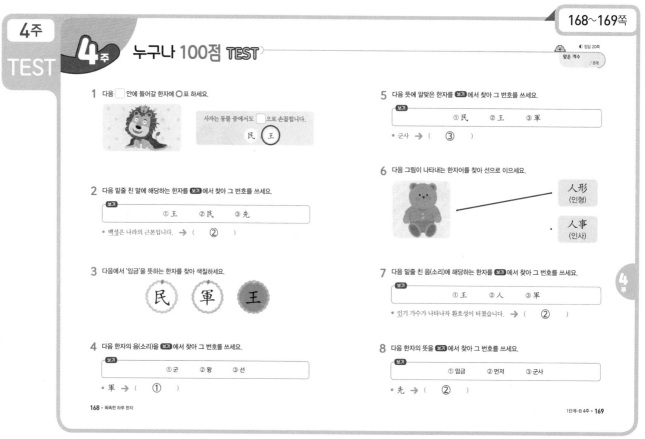

4주 특강

특강 생각을 키워요 ❷

창의·융합·코딩

◑ 정답 21쪽

📖 코딩+한글 명령어 버튼을 눌렀을 때 로봇의 움직임을 문장으로 쓰세요.

규칙
· 로봇은 버튼을 누른 순서대로 움직입니다.
· '그리고'를 사용하여 두 가지 카드를 모두 가져오도록 시킬 수 있습니다.
· '또는'을 사용하여 두 가지 카드 중 하나를 가져오도록 시킬 수 있습니다.
· '취소'를 사용하여 명령을 취소할 수 있습니다.

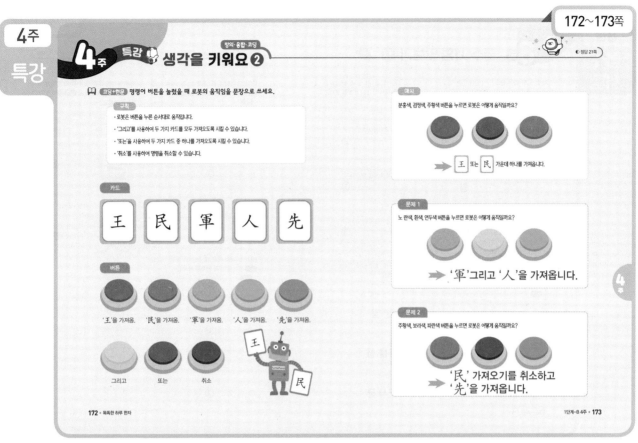

카드

| 王 | 民 | 軍 | 人 | 先 |

버튼

'王'을 가져옴. '民'을 가져옴. '軍'을 가져옴. '人'을 가져옴. '先'을 가져옴.

그리고   또는   취소

예시

분홍색, 검정색, 주황색 버튼을 누르면 로봇은 어떻게 움직일까요?

➡ 王 또는 民 가운데 하나를 가져옵니다.

문제 1

노란색, 흰색, 연두색 버튼을 누르면 로봇은 어떻게 움직일까요?

➡ '軍' 그리고 '人'을 가져옵니다.

문제 2

주황색, 보라색, 파란색 버튼을 누르면 로봇은 어떻게 움직일까요?

➡ '民' 가져오기를 취소하고 '先'을 가져옵니다.

172 · 똑똑한 하루 한자

1단계-B 4주 · 173

4주 특강

특강 생각을 키워요 ❸

창의·융합·코딩

◑ 정답 21쪽

📖 역사+한글 다음 글을 읽고 물음에 답해 보세요.

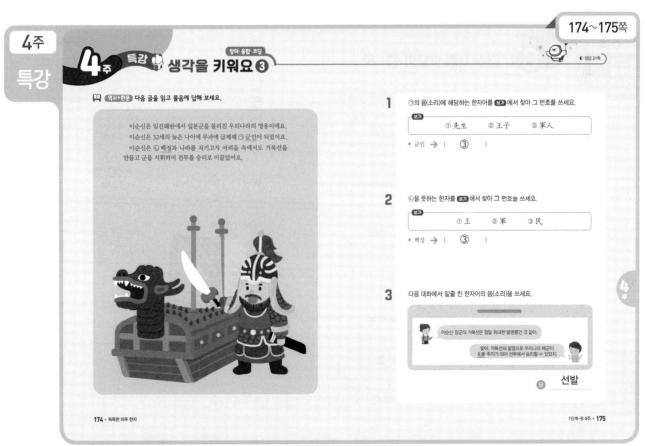

이순신은 임진왜란에서 일본군을 물리친 우리나라의 영웅이에요. 이순신은 32세의 늦은 나이에 무과에 급제해 ⑦ 군인이 되었어요. 이순신은 ⓒ 백성과 나라를 지키고자 어려움 속에서도 거북선을 만들고 군을 지휘하여 전투를 승리로 이끌었어요.

1 ⑦의 음(소리)에 해당하는 한자어를 보기 에서 찾아 그 번호를 쓰세요.

보기
① 先生   ② 王子   ③ 軍人

· 군인 ➡ (③)

2 ⓒ을 뜻하는 한자를 보기 에서 찾아 그 번호를 쓰세요.

보기
① 王   ② 軍   ③ 民

· 백성 ➡ (③)

3 다음 대화에서 밑줄 친 한자어의 음(소리)을 쓰세요.

이순신 장군의 거북선은 정말 위대한 발명품인 것 같아.

맞아, 거북선의 발명으로 우리나라 해군이 先勝 주자가 되어 전투에서 승리할 수 있었지.

답 선발

174 · 똑똑한 하루 한자

1단계-B 4주 · 175

8급 급수 시험

8급 급수 시험 맛보기 1회
◀ 정답 22쪽

[문제 1-3] 다음 글의 [ ] 안에 있는 漢字 한자의 讀音(독음: 읽는 소리)을 쓰세요.
보기: 一 → 일

1 매[月] 첫째 주 일요일에 (월)

2 아빠, [兄]과 함께 (형)

3 등[山]을 합니다. (산)

[문제 4~6] 다음 訓(훈: 뜻)이나 音(음: 소리)에 알맞은 漢字한자를 보기에서 찾아 그 번호를 쓰세요.
보기: ①弟 ②木 ③白

4 백 (③)

5 나무 (②)

6 아우 (①)

[문제 7-9] 다음 밑줄 친 말에 해당하는 漢字한자를 보기에서 찾아 그 번호를 쓰세요.
보기: ①母 ②水 ③土

7 나무에 물을 주었습니다. (②)

8 어머니와 방학 숙제를 했습니다. (①)

9 흙으로 소꿉놀이를 했습니다. (③)

[문제 10~12] 다음 漢字한자의 訓(훈: 뜻)과 音(음: 소리)을 쓰세요.
보기: 一 → 한 일

10 日 (날 일)

11 靑 (푸를 청)

12 軍 (군사 군)

[문제 13~15] 다음 漢字한자의 訓(훈: 뜻)을 보기에서 찾아 그 번호를 쓰세요.
보기: ①사람 ②불 ③임금

13 火 (②)

14 王 (③)

15 人 (①)

[문제 16~18] 다음 漢字한자의 音(음: 소리)을 보기에서 찾아 그 번호를 쓰세요.
보기: ①민 ②선 ③금/김

16 金 (③)

17 民 (①)

18 先 (②)

[문제 19~20] 다음 漢字한자의 진하게 표시된 획은 몇 번째 쓰는지 보기에서 찾아 그 번호를 쓰세요.
보기: ①첫 번째 ②두 번째 ③세 번째 ④네 번째

19 白 (④)

20 父 (②)

8급 급수 시험

8급 급수 시험 맛보기 2회
◀ 정답 22쪽

[문제 1-3] 다음 글의 [ ] 안에 있는 漢字 한자의 讀音(독음: 읽는 소리)을 쓰세요.
보기: 一 → 일

1 식[木]일에 (목)

2 [父] (부)

3 [母]님과 나무를 심었습니다. (모)

[문제 4~6] 다음 訓(훈: 뜻)이나 音(음: 소리)에 알맞은 漢字한자를 보기에서 찾아 그 번호를 쓰세요.
보기: ①寸 ②日 ③水

4 수 (③)

5 날 (②)

6 촌 (①)

[문제 7-9] 다음 밑줄 친 말에 해당하는 漢字한자를 보기에서 찾아 그 번호를 쓰세요.
보기: ①火 ②靑 ③先

7 불이 활활 타오릅니다. (①)

8 먼저 학교로 출발했습니다. (③)

9 푸른 하늘이 아름답습니다. (②)

[문제 10~12] 다음 漢字한자의 訓(훈: 뜻)과 音(음: 소리)을 쓰세요.
보기: 一 → 한 일

10 父 (아버지 부)

11 月 (달 월)

12 人 (사람 인)

[문제 13~15] 다음 漢字한자의 訓(훈: 뜻)을 보기에서 찾아 그 번호를 쓰세요.
보기: ①군사 ②아우 ③희다

13 弟 (②)

14 軍 (①)

15 白 (③)

[문제 16~18] 다음 漢字한자의 音(음: 소리)을 보기에서 찾아 그 번호를 쓰세요.
보기: ①산 ②왕 ③토

16 山 (①)

17 土 (③)

18 王 (②)

[문제 19~20] 다음 漢字한자의 진하게 표시된 획은 몇 번째 쓰는지 보기에서 찾아 그 번호를 쓰세요.
보기: ①첫 번째 ②두 번째 ③세 번째 ④네 번째

19 金 (③)

20 民 (④)

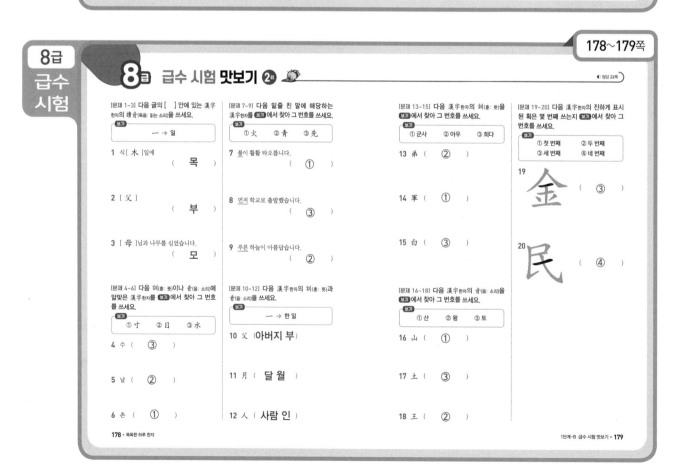

memo

memo

문제 읽을 준비는
저절로 되지 않습니다.

문해력을 키우는 시간

하루 10분

똑똑한 하루 국어 시리즈

문제풀이의 핵심, 문해력을 키우는 승부수

예비초~초6 각A·B

교재별14권

예비초A·B, 초1~초6: 1A~4C

총 14권

정답은
이안에
있어！

기초 학습능력 강화 프로그램
매일 조금씩 공부력 UP!

국어
예비초~초6

수학
예비초~초6

영어
예비초~초6

봄·여름 가을·겨울
(바·슬·즐)
초1~초2

안전
초1~초2

사회·과학
초3~초6

배움으로 행복한 내일을 꿈꾸는
천재교육 커뮤니티 안내 · · ·

교재 안내부터 구매까지 한 번에!
천재교육 홈페이지

자사가 발행하는 참고서, 교과서에 대한 소개는 물론
도서 구매도 할 수 있습니다. 회원에게 지급되는 별을 모아
다양한 상품 응모에도 도전해 보세요!

다양한 교육 꿀팁에 깜짝 이벤트는 덤!
천재교육 인스타그램

천재교육의 새롭고 중요한 소식을 가장 먼저 접하고 싶다면?
천재교육 인스타그램 팔로우가 필수!
깜짝 이벤트도 수시로 진행되니 놓치지 마세요!

수업이 편리해지는
천재교육 ACA 사이트

오직 선생님만을 위한, 천재교육 모든 교재에 대한 정보가 담긴
아카 사이트에서는 다양한 수업자료 및 부가 자료는 물론
시험 출제에 필요한 문제도 다운로드하실 수 있습니다.

https://aca.chunjae.co.kr

천재교육을 사랑하는 샘들의 모임
천사샘

학원 강사, 공부방 선생님이시라면 누구나 가입할 수 있는 천사샘!
교재 개발 및 평가를 통해 교재 검토진으로 참여할 수 있는 기회는 물론
다양한 교사용 교재 증정 이벤트가 선생님을 기다립니다.

아이와 함께 성장하는 학부모들의 모임공간
튠맘 학습연구소

튠맘 학습연구소는 초·중등 학부모를 대상으로 다양한 이벤트와 함께
교재 리뷰 및 학습 정보를 제공하는 네이버 카페입니다.
초등학생, 중학생 자녀를 둔 학부모님이라면 튠맘 학습연구소로 오세요!